Du même auteur

BOURBEAU, François, *Contact 158*, Louise Courteau éditrice, Verdun, Québec, Canada, 1984, 200 pages, illustré.

BOURBEAU, François, *Les médias cachent la réalité OVNI au public*, les éditions du Collège Invisible, Drummondville, Québec, Canada, 1996, 352 pages, illustré.

BOURBEAU, François, *Processus vers la lumière* (Rencontre avec Gaétan Dubé), les éditions du Collège Invisible, Drummondville, Québec, Canada, 1997, 100 pages.

LA VOYANCE

TOUT CE QUE VOUS DEVEZ SAVOIR

Distribution pour le Canada :
Agence de distribution populaire
1261 A, rue Shearer
Montréal (Québec) H3K 3G4
Téléphone: (514) 523-1182
Télécopieur: (514) 939-0705

Distribution pour la France et la Belgique :
Diffusion Casteilla
10, rue Léon-Foucault
78184 Saint-Quentin-en-Yvelines Cedex
Téléphone: (1) 30 14 19 30

Distribution pour la Suisse :
Diffusion Transat S.A.
Case postale 1210
4 ter, route des Jeunes
1211 Genève 26
Téléphone: 022 / 342 77 40
Télécopieur: 022 / 343 46 46

François C. Bourbeau

LA VOYANCE

TOUT CE QUE VOUS DEVEZ SAVOIR

TVA éditions

2020, rue University,
20e étage, bureau 2000
Montréal (Québec) H3A 2A5

Éditeur: Claude Leclerc
Directrice des éditions: Annie Tonneau
Révision: Corinne De Vailly
Correction: Geneviève Thibault, Paul Lafrance
Infographie: Sophie Cloutier, SÉRIFSANSÉRIF

Direction artistique: Nancy Fradette
Couverture: Michel Denommée
Photo de l'auteur: Daniel Auclair
Maquillage: Macha Colas

Nous reconnaissons l'aide financière du gouvernement du Canada par l'entremise du Programme d'aide au développement de l'industrie de l'édition (PADIÉ) pour nos activités d'édition.

Dépôt légal: troisième trimestre de 2001
Bibliothèque nationale du Québec
Bibliothèque nationale du Canada
ISBN: 2-89562-021-0

Table des matières

Introduction

Dans cet ouvrage, je me propose d'explorer différentes avenues. À partir de ma propre expérience, je poursuis l'objectif de bien vous renseigner, dans un souci d'honnêteté pour vous permettre de vous forger une image très nette du phénomène de la voyance.

Pendant seize ans, j'ai animé une émission pour la télévision communautaire du Québec. La mission consistait alors à démystifier le paranormal, l'étrange, bref l'insolite. J'ai donc eu la chance de rencontrer quelques centaines de voyants et voyantes. Évidemment, j'ai tout entendu. Je pourrais même rajouter que tout a été dit me concernant, parfois même des vérités.

Lorsque mon éditeur m'a demandé de pondre mes idées sur la voyance, je me suis dit que cela serait une magnifique occasion de plonger dans mes souvenirs. J'ai revu ma grand-mère, la sorcière du village (on la qualifiait ainsi), en train de m'initier à certains principes de base. Je me suis remémoré de bons moments en entrevues pour la télévision, ou encore ceux vécus lors de mes conférences à Sept-Îles, à Rimouski, à Val d'Or, à Hull ou à Alma.

Je le reconnais, certains voyants ont su m'impressionner à l'occasion. Mais, ayant été très exposé à cette mancie particulière, j'en suis venu à croire que plus personne ne pouvait me «lire» avec exactitude. Et cela s'est avéré. Au fil du temps, je me suis rendu compte que l'Homme, *dans sa matière,* a le pouvoir de stopper ceux qui possèdent la faculté PSI de «voir» autrement qu'avec leurs yeux; mais le contraire demeure tout aussi véridique. Il s'agit d'un acte de pure volonté.

J'ai côtoyé le petit et humble voyant d'un village éloigné qui étonnait tout le monde par sa maîtrise de la voyance, mais j'ai aussi rencontré les pires tels que Luc Jouret de l'Ordre du temple solaire (OTS) que j'ai présenté, le premier, aux Québécois en 1985. Cette position privilégiée d'animateur de télévision m'a donc permis de poser *mes* questions et, au fil des années, je me suis autoformé. N'est-ce pas la meilleure école qui soit?

Cet ouvrage reflète donc l'opinion d'un chercheur qui, avec ses humbles moyens, baluchon sur l'épaule, s'est lancé dans la recherche de la vérité à travers l'âme humaine et tous les mystères qu'elle contient.

Qu'est-ce qu'un voyant?

Depuis que la voyance m'intéresse, j'ai rencontré des centaines et des centaines de personnes. J'ai rapidement constaté à quel point ces dernières confondaient les termes *voyant*, *médium*, *parapsychologue* et *spirite*. Probablement en raison de ma formation universitaire en philosophie, particulièrement depuis mon apprentissage de l'origine et de la signification des mots à travers les âges (l'étymologie), j'ai toujours eu le réflexe de rechercher le sens précis des termes. Il s'agit d'un réflexe chez moi. À titre d'exemple, le mot *sceptique* aujourd'hui est presque devenu synonyme de: «Je ne crois en rien», alors qu'à l'origine, au temps des Socrate, Platon et Aristote, il signifiait plutôt «celui qui cherche à savoir en toute chose»! Voyez-vous la dérive de sens?

Pour bien me préparer dans le cadre de mes émissions télévisées sur le paranormal à *ALTER EGO SPIRITUS*, au canal communautaire de Drummondville (1994-1997), j'ai fréquemment rencontré des individus aux facultés hors du commun. Je me devais d'identifier leurs mécanismes mentaux et leur personnalité.

Dans les lignes qui suivent, je tenterai de vous définir un portrait réaliste et complet des voyants. Il ne sera pas question des *voyants* de l'Église catholique romaine, car si celle-ci utilise aussi le terme, il n'existe pas de comparaison possible. Pour elle, un voyant est une personne qui jouit de la faculté de *voir* des saints ou d'échanger avec la Vierge Marie, Jésus, etc.

Dans ces pages, le terme *voyant* qualifie plutôt l'ensemble des personnes qui disent posséder la faculté de vision surnaturelle des événements du passé, du présent et de l'avenir. Le voyant d'aujourd'hui travaille parfois avec des artefacts ou des supports qu'il dit essentiels pour se «connecter» au consultant.

Toutefois, certains voyants n'ont recours à aucun support pour déclencher leurs visions. Ceux-ci exercent une très importante fascination sur le public, car la première question qui vienne à l'esprit lorsqu'on les consulte est: «Comment peuvent-ils arriver à tout me révéler de mon passé alors que je n'ai rien dit et qu'ils ne semblent utiliser aucun subterfuge pour y parvenir?»

Avant d'explorer le détail, poursuivons notre étude des définitions. Cet exercice demeure fondamental au cours de cet ouvrage. Il vaut mieux commencer du bon pied et bien se comprendre dès le début si nous désirons échanger sur un même plan.

Le médium (du latin *medius,* qui est au milieu) est une personne qui sert d'intermédiaire entre les êtres humains vivants et les morts, c'est-à-dire dans le cas de ces derniers, l'esprit des morts. Cette définition semble suggérer, vous le devinerez, que le *médium* n'a pas à posséder une faculté de *voyant* très développée mais sert plutôt de *pont* entre deux choses, deux mondes. Ainsi, les *channelers* pourraient très bien s'appeler des *médiums,* tel que nous l'entendons ici.

Le *parapsychologue* est celui qui s'adonne à l'étude des phénomènes parapsychiques non encore reconnus par la science dite exacte. Donc, le *parapsychologue* ne possède pas, *de facto,* un don psychique particulier. Il peut s'intéresser grandement à l'étude de l'ensemble des phénomènes relatifs à la voyance ou à la médiumnité sans pour cela posséder lui-même un don.

Il existe beaucoup de gens ici au Québec, et ailleurs dans le monde, qui utilisent à tort l'expression *parapsychologue* pensant que ce terme correspond à celui de *voyant.* Erreur! Même si l'un n'empêche pas l'autre, c'est-à-dire qu'un *parapsychologue* peut posséder un don de voyance, une intuition très forte, il peut également s'agir d'une personne hyperrationnelle qui analyse et étudie le sujet sans aller au-delà.

Le *spirite* (de l'anglais *spirit-rapper, esprit frappeur* ou encore *Poltergeist* en allemand) est une personne qui possède la faculté de se mettre en relation directe avec un esprit ou des esprits, et cela simultanément. Ainsi, *spirite* et *médium,* selon les définitions fournies, se rapprochent beaucoup. Le premier appartient à la vieille école, le second est, disons, plus contemporain.

Dans le dictionnaire *Vocabulaire technique et critique* d'André Lalande, la définition de *spiritisme* se lit comme suit: «Doctrine selon laquelle les esprits des morts survivent en conservant un corps matériel, mais d'une extrême ténuité, et bien qu'ordinairement invisibles, peuvent entrer en communication avec les vivants grâce à certaines circonstances, notamment grâce à l'action des médiums.»

À cette thèse fondamentale se rattache tout un ensemble de croyances qui passent pour avoir été *révélées* par les esprits eux-mêmes, et qui sont exposées dogmatiquement dans divers ouvrages, dont le plus célèbre demeure encore de nos jours celui d'Allen Kardec: *Le livre des esprits* (1853).

Le voyant du nouveau millénaire possède, très souvent, des cartes de visite et un cabinet de consultation ayant pignon sur rue. Il achète des espaces publicitaires dans les journaux à grand tirage, participe à des salons de voyance et d'ésotérisme, etc. C'est d'ailleurs dans ces salons populaires que nous pouvons mesurer l'étendue et la véracité du *théorème de Jules Michelet* (1798-1874): *Un sorcier pour 10 000 sorcières!*

Pourquoi plus de femmes que d'hommes pratiquent la voyance? La réponse la plus universellement admise est que les femmes possèdent davantage d'intuition que les hommes et qu'elles sont plus sensibles. Toutefois, quelques hommes peuvent être de bons voyants. Cette idée devient fausse car si elle était tautologique, aucun homme ne verrait l'avenir. Nous voilà ici confronté à la croyance populaire et à la société qui ont décidé de croire que les femmes sont meilleures que les hommes pour s'adonner à ces exercices de mancies. Les préjugés véhiculés sur la rationalité légendaire des hommes et sur leurs craintes d'exposer *leur petit côté féminin* sont des prémisses suffisantes pour justifier cette pseudo-réalité.

Pour bien saisir l'assertion de Michelet, il convient d'effectuer un retour dans le temps, c'est-à-dire au Moyen Âge.

À cette époque, on n'utilisait guère l'expression, aujourd'hui populaire, de voyant ou voyante, il s'agissait bien plutôt de... sorcières.

Ces femmes, à l'allure parfois hideuse, habitaient les bois, loin de toute activité urbaine. Dans les châteaux, le roi se reposait sur ses chevaliers qui guerroyaient afin de conquérir de nouveaux territoires. Lorsque certains chevaliers doutaient de la fidélité de leurs épouses, ils leur installaient des ceintures de chasteté. Ainsi condamnées qu'elles étaient à l'abstinence durant de longues périodes, certaines d'entre elles développaient, en guise de mode compensatoire, des facultés PSI. Elles sublimaient donc leur sexualité. La ceinture de chasteté permettait également de *protéger* ces femmes qui la portaient contre d'éventuelles agressions sexuelles de la part d'autres chevaliers. Certaines femmes, victimes de viol, préférèrent quitter la vie du château pour se réfugier en forêt afin de faire appel aux dieux (panthéisme) pour les purifier. Ce faisant, plusieurs d'entre elles devinrent des adeptes de pratiques mythiques, occultes, utilisant parfois des substances hallucinogènes recueillies en forêt dans le but avoué de fabriquer des mixtures susceptibles, par la suite, d'être utilisées pour jeter des sorts. Certaines substances agissaient comme un philtre d'amour, d'autres entraînaient le cerveau dans des états altérés de conscience.

Il est étonnant de constater que l'aspect symbolique de la sorcière n'est autre chose que celui de la renonciation à la sexualité. Elle enfourche un balai (symbole phallique), et peut s'envoler par une nuit de pleine lune, démontrant ainsi qu'il lui est possible d'échapper à la gravitation (au figuré, aux contraintes matérielles de la vie). Elle est laide car cette laideur repousse les intrus ou violeurs éventuels. Ses talons, son nez et son chapeau pointus sont également des représentations phalliques. Sa tenue ample et délabrée, en plus de lui permettre une certaine aisance dans ses mouvements, était toujours noire. Il s'agit d'une couleur de protection mais qui est également repoussante, car elle s'apparente à la nuit, aux ténèbres, à Lucifer. Pas étonnant de constater que, même de nos jours, les groupes de motards criminalisés utilisent le noir (le cuir noir) comme objet de frayeur. Leur apparence n'est pas rassurante pour celui qui n'en connaît pas la signification. Habituellement, la couleur noire suggère plutôt la fragilité de celui ou celle qui la porte.

Il est curieux et intéressant de remarquer que certaines voyantes et quelques voyants, lors de salons spécialisés sur le thème, s'habillent de noir, portent des vêtements amples et noirs, s'entourent de talismans rappelant ceux qu'utilisaient jadis les sorcières médiévales. S'ils étaient admis, je ne serais guère étonné de trouver des chats noirs dans chaque stand!

En ce début de XXIe siècle, une tendance se dégage de plus en plus. La courbe qui hier donnait raison au *théorème de Michelet* semble s'aplanir. De plus en plus d'hommes s'adonnent à la voyance. Il demeure cependant vrai que la très grande partie des individus qui exercent dans le domaine sont de sexe féminin. Ce ratio s'approche néanmoins du 60/40 (c'est-à-dire 60 % de femmes et 40 % d'hommes). Signe des temps?

En toute honnêteté, je crois beaucoup à la Loi du boomerang (plus on le lance fort, plus il revient vite). J'appuie mes affirmations sur une seule base, la meilleure selon moi, l'expérience de la vie à travers mon rôle à la fois de chercheur dans le domaine du paranormal et d'animateur de télévision (travail que j'ai exercé durant plus de 20 ans).

Lorsque mon éditeur m'a demandé d'écrire mes réflexions sur le sujet, je me suis interrogé sur la pertinence que j'en sois l'auteur. En effet, qui suis-je pour prétendre démystifier les mécanismes de la voyance alors que de grands penseurs, bien avant moi, se sont attelés à la tâche? Ma première question a été celle-ci: «Faut-il mourir pour être le mieux placé pour parler de la mort, ou encore faut-il accoucher pour savoir que cela fait mal?» Si nous répondons non à ces deux questions, cela implique désormais que nous devrions ne plus jamais faire confiance ni aux médecins, ni aux pilotes d'avion, ni au garagiste du coin.

Comme mon passé m'a permis de vivre d'extraordinaires expériences touchant à la mort, à la parapsychologie en général et plus particulièrement à la voyance, j'ai finalement accepté d'écrire ce livre. J'ai dit oui un peu pour me permettre de faire revivre mes souvenirs, de replonger dans ces doux et merveilleux moments mystiques où ma grand-mère maternelle, une personne remarquable, m'avait initié à ces sujets. Je n'avais fait qu'une dizaine de translations solaires.

Comment devient-on voyant?

Inévitablement, il est ici question de s'interroger sur *l'inné* et *l'acquis*. Vient-on au monde avec cette faculté comme si la vie nous avait prédestiné à jouir de celle-ci ou bien l'éducation et certaines circonstances peuvent-elles nous amener à développer ladite faculté? Il n'est pas si simple de répondre à cette question, comme vous le verrez dans les prochaines pages.

Le voyant prétend être en mesure de *contrôler* l'arrivage des données que lui seul semble en mesure d'interpréter. Et pourtant, tous les voyants vous diront que tout être humain naît avec la faculté de «voir» en utilisant autre chose que ses cinq sens habituels. Je ne partage pas cet avis. Certes, chaque être humain peut, un jour ou l'autre, avoir une intuition, un flash, concernant sa vie ou celle de l'un de ses proches, mais cela n'indique pas qu'il possède et maîtrise le *contrôle* du mécanisme de la voyance dans le temps et l'espace. La question de *l'inné* et de *l'acquis* se pose à divers degrés, et beaucoup de philosophes ont produit des études de tout ordre sur le sujet afin d'en arriver à une conclusion probante pour tous. L'entreprise n'est pas encore achevée, et une réponse claire à ce sujet n'a pas encore fait l'objet d'une approbation universelle. Cela ne doit toutefois pas nous empêcher d'apporter notre pierre à l'édifice. L'objectif demeure assez pertinent puisqu'il permettrait, selon le résultat, de changer certains de nos comportements sociaux envers la jeunesse et nos enfants.

Par exemple, si nous adoptons l'idée que nous venons au monde voyant, nous ne nous inquiéterons plus d'un enfant d'à peine trois ans qui pointe le plafond en gazouillant: «Grand-papa, là maman!» Si nous pensons que cette faculté peut s'acquérir avec le temps, en y mettant des efforts, alors notre attitude envers ce même enfant sera de le placer dans une institution spécialisée, susceptible de l'aider à décupler ses facultés.

Dans ce second scénario, il serait intéressant de non plus seulement assister à des téléthons pour enfants malades mais aussi à des événements télévisés, organisés pour les enfants dits *surdoués*! Comment se fait-il que cela ne soit pas déjà une réalité? On dirait que le doué est perçu aujourd'hui comme un handicapé à qui l'on prescrit du Ritalin parce qu'il nous semble excité, agité ou dans la lune.

Il est temps pour moi de vous révéler ce que je me suis toujours refusé à faire alors que j'animais *FUSION* et *ALTER EGO SPIRITUS*. Mon rôle n'était pas de parler de moi mais de laisser parler les autres. À travers cette position avantageuse, il m'était alors possible de vérifier si ce que les invités me révélaient correspondait à mon cheminement ou non. Je pouvais également, en plus d'apprendre d'eux, les confronter de meilleure façon, car j'ai toujours affirmé que celui qui pose les meilleures questions est toujours celui qui connaît déjà les réponses. Bref, le temps m'a rendu moi-même voyant. Le temps m'a aussi permis d'apprendre à *tirer les cartes*. Le temps m'a montré que je pouvais être un excellent psychomètre (capacité de ressentir des événements et de décrire des gens à partir d'un objet leur ayant appartenu). Je dois cette capacité à une personne que je vais maintenant vous présenter.

Ma grand-mère maternelle, Albreda Yergeau Côté (décédée en 1975, à 76 ans), possédait, sans l'ombre d'un doute, des facultés paranormales hors du commun. À tel point que même le curé de la paroisse de Saint-Germain-de-Grantham où elle habitait (début des années 30), et celui de la paroisse de Saint-Nicéphore (années 70) montaient régulièrement en chaire pour condamner ceux et celles qui consultaient des voyants, précisant que cela demeurait l'œuvre de Satan, tel que nous pouvons le lire dans la Bible.

Ironiquement, ces mêmes curés rendaient visite à ma grand-mère, qui ne pouvait assister à la messe parce que trop malade, afin de lui offrir la grâce du Seigneur. Après l'Eucharistie improvisée sur le coin de la table, ils demandaient toujours: «Madame Côté, j'ai quelques questions à vous poser... pouvez-vous sortir vos cartes?»

Et elle le faisait toujours avec plaisir. Mais ces pauvres abbés n'entendaient pas toujours ce qu'ils souhaitaient entendre. Ma grand-mère était cinglante. Quand elle avait quelque chose à dire, elle ne prenait pas de détours. Et v'lan! Tant pis pour le consultant qui n'était pas prêt. Et elle n'était pas la seule à agir ainsi. Beaucoup d'autres voyants, surtout de nos jours, sont reconnus pour tenir des propos assez crus. Par contre, il en existe aussi qui parlent dans le vide.

Très jeune, donc, je me suis interrogé sur l'origine de cette faculté particulière de ma grand-mère. Était-ce un don divin ou avait-elle appris cela en parcourant des livres spécialisés?

Jean-Paul Sartre affirmait: «Il n'y a de véritables connaissances qu'intuitives...» Descartes fut le premier à écrire un texte philosophique en français (son fameux *Discours de la méthode*) et il affirmait: «L'inné comprend à la fois ce que nous appelons faits de conscience, d'expérience interne et ce que nous appelons lois ou formes *a priori* de la connaissance.»

L'acquis, *stricto sensu*, indique ce qui n'est pas primitif: «Caractère acquis (qu'un individu ou une espèce ne possédait pas tout d'abord); perceptions acquises (qui ne sont pas données immédiatement par un de nos cinq sens, mais résultent d'une éducation, et d'un raisonnement inconscient). Ceci s'oppose alors dans cette expression à la perception des choses dites naturelles.» *(Vocabulaire technique et critique de la philosophie,* André Lalande, page 15, 14e édition, mai 1983).

Ma grand-mère était-elle venue au monde ainsi ou avait-elle été initiée par quelqu'un possédant des facultés paranormales dont elle a su découvrir les mécanismes sous-jacents?

Mes nombreuses heures de discussion avec elle m'ont fait comprendre qu'elle avait plutôt *développé* ses facultés. Et si cette vieille femme y était arrivée, alors je le pouvais moi aussi! Je me suis donc laissé entraîner par le courant et c'est ainsi que cette femme a influencé le reste de ma vie.

Albreda était très forte. Je me souviens avoir déjà entendu mon père, Georges Étienne, raconter une histoire arrivée un vendredi soir (elle disait que les cartes *parlaient* plus le vendredi soir que tout autre jour de la semaine). Il faut comprendre que c'est un vendredi que le Christ est mort sur la croix avant de ressusciter trois jours plus tard, et comme ma grand-mère était croyante... vous devinez la suite. Ce vendredi-là, quatre membres de sa famille ont pratiquement tous entendu le même discours. Elle leur avait dit: «Et c'est très, très bientôt que vous allez entendre parler de mort. Quelqu'un de très proche va mourir sous peu.»

Elle venait *de tirer les cartes* à mon père, deux de ses frères et sa sœur. Leur mère mourut à peine quelques heures plus tard. Sa réputation venait d'être établie et plus jamais elle n'eut de vendredis soirs tranquilles. Tous au village venaient la consulter entre deux messes!

C'est dans cette atmosphère que je baignais. Des livres, j'en fus inondé. Grand-maman me demandait toujours mon opinion sur le vieux bouquin *Comment influencer l'esprit des gens à distance?* ou encore *Le pouvoir de votre magnétisme personnel* et l'incontournable *L'art d'hypnotiser sans endormir.* Nous passions des heures et des heures à discuter de ces sujets.

Selon l'hypothèse émise par Occam (le rasoir d'Occam) ou, si vous préférez, le *principe de parcimonie*, il est dit que «toute chose étant égale dans l'Univers, l'explication la plus simple et accessible demeure toujours la meilleure». Le *principe de parcimonie*, formulé par l'astronome italien Galilée, se disait plutôt: *«La Natura non opera con molte cose quello che puo operare con poche»* ou, si vous préférez: «La Nature ne fait pas à grands frais ce qu'elle peut faire avec peu.» (*Vocabulaire technique et critique de la philosophie*, André Lalande, page 738).

Je me range derrière cette assertion qui pour moi m'apparaît plus... normale. Dans la vie, et nous en sommes conscients du moins en partie, nous pouvons savoir par nous-mêmes comment atteindre l'objectif en prenant les moyens qu'il faut. *L'inné* implique presque obligatoirement que nous admettions l'existence de choses invérifiables, nous forçant ainsi à «croire» à la vie avant la vie, à l'intervention de forces occultes inconnues ou divines, selon nos origines. Il y a trop d'impondérables ici. Je ne suis personnellement pas trop à l'aise avec ce concept.

Il me paraît tellement plus simple de penser qu'avec un peu de bonne volonté, le profond désir de vouloir réussir, et quelques exercices pratiques, ce que quiconque veut, il le peut. Dans mon cas et celui de ma grand-mère, par exemple, c'est l'intérêt pour la voyance entre autres qui a fait en sorte que la faculté a pris racine, a pris force en nous. Pourquoi faudrait-il toujours s'en remettre à des éléments hors de notre esprit pour justifier *nos* capacités intellectuelles ou surnaturelles? Je ne rejette toutefois pas la possibilité de l'intervention d'une grâce divine ou autre durant nos vies pour provoquer en nous l'émergence d'une telle puissance. Mais comme je suis un individu assez porté sur la rationalité mais qui «para-normal», pour employer un jeu de mots, mon cerveau est comme celui de chacun composé de deux parties: l'une qui se charge de l'aspect rationnel des choses et l'autre qui gère l'abstrait, l'irrationnel. À moi alors de composer avec ce qui passe entre les deux hémisphères.

Beaucoup de voyants soutiennent avoir découvert leur faculté en très bas âge. Par peur du ridicule, ils ont préféré étouffer cette faculté de l'esprit durant un certain temps. Devenus de jeunes adultes, la seconde étape de la vie qui correspond à l'affirmation du «moi» leur a permis d'extérioriser par le verbe, ce qui se produisait en eux à la vitesse folle de la lumière.

Pour ma part, j'affirme avoir eu de la chance, car la très grande majorité des voyants ont vu leurs *dons* apparaître à la suite d'un trauma important, ce qui ne fut pas mon cas. Voici des exemples concrets auxquels j'ai été confronté, notamment de la souffrance physique ou psychique.

Le grand voyant américain Edgar Cayce a vu naître son don à la suite d'une année complète de maladie qui lui fit perdre la parole. Alex Tanous, qui vivait et enseignait dans le Maine, aux États-Unis, très connu pour sa capacité à reconnaître des symboles et des couleurs associées à ces derniers alors qu'il se trouvait enfermé dans une espèce de cage de Faradet, développa sa capacité de discuter avec son double, Alex 2, à la suite d'une chute dans l'escalier conduisant au sous-sol de la maison familiale. Jeanne Dixon, ce que peu de gens savent, était une femme isolée qui vivait dans la peur d'être battue. Son ex-époux lui menait la vie dure et de nombreux décès familiaux ont fortement contribué à créer chez elle ce mode compensatoire que sont les facultés PSI. C'est elle, souvenons-nous, qui a prédit l'assassinat de John F. Kennedy, à Dallas, en 1963.

Chez nous, au Québec, de nombreux cas peuvent aussi être cités comme celui de Normande Marquis, «la voyante au cœur d'amour sur deux pattes» ou Yan de Van, le populaire kabbaliste de Saint-Nicolas, en banlieue de Québec; celui d'Élie Lelus, d'origine française, ou de Lucille Tanguay, spécialiste de l'interprétation des rêves et ancienne élève d'Alex Tanous, et j'en passe. Ils ont tous, eux aussi, frôlés la mort ou subi d'importantes contraintes. C'est après les avoir surmontées que leurs facultés PSI sont apparues.

Évidemment, si vous désirez devenir voyant, je ne vous dis pas ici de foncer sur un viaduc en ciment avec votre bagnole, simplement pour vous faire souffrir en espérant qu'après votre guérison vous posséderez un don. Quand même! Toutefois, si vous prenez le temps de discuter avec une personne qui affirme posséder la faculté de voyance, je vous suggère de creuser un peu plus son passé. Vous allez rapidement découvrir qu'en quelque part, cette personne a bien failli y rester.

Dans un autre ordre d'idées, puisque cet ouvrage vise non seulement à décrire les choses et événements, mais aussi à vous proposer des exercices susceptibles d'éveiller quelques neurones capables de servir autrui, voici deux petits tests très simples que ma grand-mère Albreda Y. Côté m'a enseignés il y a de cela plus de 30 ans déjà.

Exercice 1

Utilisez un bout de papier d'aluminium contenu dans un paquet de cigarettes. Brûlez celui-ci afin d'en dégager la partie cirée qui se trouve collée sur une des parois. Lorsqu'il ne vous restera plus que le papier en aluminium, découpez-le pour former un petit carré d'un centimètre de côté au maximum.

Ensuite, avec une aiguille à coudre toute simple, utilisez seulement l'enveloppe externe dudit paquet de cigarettes et passez votre aiguille au travers de manière à ce qu'une partie de celle-ci dépasse vers le haut. Vous pouvez également utiliser un trombone qu'il vous faudra cependant tordre un peu! Pliez le papier d'aluminium légèrement de manière à ce qu'il tienne en équilibre sur l'aiguille. *ATTENTION: il ne faut pas faire passer l'aiguille de part en part du papier en aluminium, celui-ci doit seulement se tenir en équilibre sur l'aiguille.*

Pour vous assurer qu'aucun élément externe ne viendra faire bouger le carré d'aluminium, placez un verre retourné sur cette petite construction. Ainsi isolé, ni le vent ni votre souffle n'auront d'action sur le papier (ceci est plus facile à faire avec un trombone).

Pourquoi l'aluminium? Nous pensons que certaines zones du cerveau humain sont susceptibles de dégager une forme importante d'ondes électromagnétiques et l'aluminium en tant qu'élément conducteur augmente les possibilités de voir cette expérience réussir.

Le cerveau humain doit être perçu comme un muscle. Plus il travaille, plus il s'assouplit et se renforce. À force d'essayer de faire tourner le bout de carré de papier en aluminium par le seul pouvoir de votre volonté, de votre pensée, vous gagnerez en rapidité et efficacité pour y parvenir.

De façon étonnante, les enfants semblent très forts à ce jeu, car il faut bien comprendre qu'il s'agit d'un jeu. Plus on se concentre, plus il vous est difficile d'y arriver. Cela semble plus facile lorsque l'on finit par se dire: *« Ah, ne tourne donc pas aujourd'hui! »* Ce lâcher prise se traduit parfois par de meilleurs résultats.

Les enfants possèdent une belle naïveté. Il suffit de leur dire que ça marche toujours, et certains d'entre eux ont déjà effectué cette manipulation avec une telle efficacité et rapidité, que plusieurs adultes présents que j'ai observés cherchaient le truc sous la table.

L'adulte se limite par sa pensée, car l'expérience acquise au long de sa vie l'a endoctriné, modelé, pour l'adulte tout ce qui existe doit être quantifiable, vérifiable, mesurable. Nous vivons l'ère du nihilisme[1] apparu au XIXe siècle, en Russie. Cela explique le succès remporté par la science.

[1] Négation de toute croyance. Le *nihilisme* a pour objet la destruction radicale des structures ou des croyances sociales.

Elle a conduit à une grande variété d'applications technologiques et tout ce qui émane des expériences populaires doit être rejeté du revers de la main. Pourtant, la nature nous offre une infinité d'exemples qui tendent à démontrer que l'humain est encore loin d'avoir exploré et conquis tous les territoires, à commencer par son propre esprit... son âme.

Essayez ce petit truc pour commencer votre démarche. Il est inutile de vouloir s'attaquer à soulever une automobile par sa pensée la première fois. Cela serait tout aussi ridicule qu'un haltérophile qui, dès ses débuts à l'entraînement, voudrait soulever un poids quatre fois supérieur au sien! Chaque chose en son temps. Il faut commencer par des exercices légers, et plus l'habileté augmente, plus il est possible d'augmenter le poids à déplacer. Cela est vrai pour les muscles, tout autant que pour le cerveau humain. C'est en forgeant que l'on devient forgeron, dit-on.

Exercice 2

Afin d'obliger vos deux hémisphères à contribuer au travail, un deuxième exercice peut vous aider à accélérer le processus de développement de vos facultés PSI.

Il suffit d'utiliser un crayon, un dessin quelconque sur une feuille de papier et un miroir.

Placez le miroir face à vous, debout sur la table. Mettez le dessin devant le miroir, il doit s'y refléter. Avec le crayon, essayez de suivre le tracé du dessin. Cela exige de *penser à l'envers*. Cela contribue à déclencher le travail de votre hémisphère cérébral voué aux fonctions dites abstraites. Que vous soyez gaucher ou droitier, peu importe. Nous sommes tous dotés d'un hémisphère qui gère les éléments rationnels de notre vie, l'autre s'occupant des éléments abstraits. Plus vous gagnerez en vitesse et en précision, plus l'équilibre entre les deux hémisphères s'installera.

Voilà pourquoi certains voyants atteignent des degrés supérieurs de précision. Si une personne pratique beaucoup, si un voyant rencontre beaucoup de gens et s'il s'offre le privilège de *tester* la qualité de sa voyance, il me paraît évident que ce dernier sera plus rapide et efficace que d'autres pour *voir* le passé, le présent et l'avenir de ses consultants.

En ce qui concerne les voyants en série, provenant d'une même famille, je me suis longuement interrogé sur la validité et l'honnêteté de ces gens. Toutefois, en y réfléchissant, je me suis rendu compte que si Gilles Villeneuve, le coureur automobile de formule 1 a eu un fils pour suivre ses traces (nous savons tous que Jacques a déjà été champion du monde dans ce sport), il peut effectivement être *normal* d'être voyant de père en fils ou de mère en fille. Cela est possible parce que ces enfants ont grandi dans un environnement qui se prêtait au développement psychique de leurs facultés. Ceci tendrait donc à confirmer l'assertion que *l'acquis* l'emporte sur *l'inné*.

Mais attention! Ne pas confondre ceux qui croient posséder une capacité de voyance aussi puissante et précise que celle de leur père ou de leur mère, et ceux qui la possèdent vraiment. Plus loin, nous verrons comment il est possible de reconnaître ou tout au moins de distinguer le vrai voyant du faux voyant. La principale difficulté réside dans le fait que nous avançons sur des sentiers peu fréquentés. Dans le monde de la course automobile, ou de tout autre sport, lorsque celui qui prétend être le meilleur n'arrive pas le premier au fil d'arrivée, n'importe qui peut, sans grands moyens, constater qu'il parle plus qu'il n'agit. Cela se voit!

Dans le monde du paranormal, l'utilisation de nos cinq sens n'est pas toujours suffisante pour séparer le bon grain de l'ivraie.

Nous pouvons conclure ce chapitre en nous résumant:

1) Les capacités de *voir* apparaissent fréquemment après une grave maladie;

2) La faculté de *voir* peut se développer dans le milieu familial, surtout lorsqu'on se trouve en présence d'un membre de la famille qui possède déjà le don et qui nous initie;

3) La question de *l'inné* ne devrait pas se poser: on acquiert cette capacité en y consacrant de longues heures d'entraînement, ce qui s'appelle *l'acquis*;

4) Finalement, selon l'approche suggérée ici, tout le monde possède plus ou moins de l'intuition, il n'en tient qu'à vous de la développer et de mieux la canaliser grâce à des efforts, grâce au pouvoir de votre volonté.

TOUT CE QUE VOUS DEVEZ SAVOIR

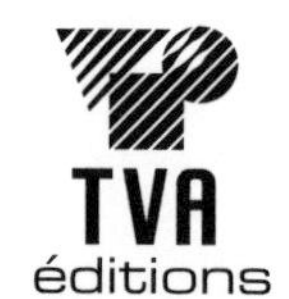

Distribution pour le Canada :
Agence de distribution populaire
1261 A, rue Shearer
Montréal (Québec) H3K 3G4
Téléphone: (514) 523-1182
Télécopieur: (514) 939-0705

Distribution pour la France et la Belgique :
Diffusion Casteilla
10, rue Léon-Foucault
78184 Saint-Quentin-en-Yvelines Cedex
Téléphone: (1) 30 14 19 30

Distribution pour la Suisse :
Diffusion Transat S.A.
Case postale 1210
4 ter, route des Jeunes
1211 Genève 26
Téléphone: 022 / 342 77 40
Télécopieur: 022 / 343 46 46

TOUT CE QUE VOUS DEVEZ SAVOIR

peut représenter un gage de sécurité. Mais le discernement doit absolument et toujours être mis en pratique par le consultant. Ce n'est pas parce qu'un voyant est présent tous les jours de la semaine à la télévision qu'il est automatiquement excellent. Il a très bien pu décrocher ce contrat grâce à de bons contacts, ou parce qu'il côtoie les bonnes personnes. S'informer auprès d'autres consultants et des amis est peut-être le seul vrai bon moyen de s'assurer de choisir celui qui vaut la peine de nous recevoir.

Le premier voyant connu

Lorsque l'on parle du premier voyant connu, il est tentant de suggérer un nom: Jésus-Christ. Évidemment, les gens de l'Église d'aujourd'hui ne seront sûrement pas d'accord avec cette assertion. J'ai moi-même confronté des prêtres sur ce sujet, et ils sont loin d'être en accord avec ma vision des choses.

Pourtant, le Christ semble bien avoir fourni d'innombrables éléments de preuve qui militent en ce sens. En parcourant notre seule référence (pour l'instant, car les manuscrits de la mer Morte seront bientôt rendus publics et nous devrions apprendre beaucoup plus de choses concernant la vie de Jésus de Nazareth, surtout sur le *segment manquant* de sa vie, entre 10 ans et 29 ans), la Bible, nous pouvons y découvrir maintes allusions relatives à son talent de prévoir et d'anticiper l'avenir.

À la manière de Nostradamus, qui a développé un potentiel PSI à la suite d'une dure épreuve, la mort de toute sa famille, le Christ a dû passer 40 jours isolé dans le désert avant de pouvoir *affronter* et *accepter* toutes ses facultés.

Ainsi à la veille d'entrer dans la grande Jérusalem, le Christ et ses ouailles se réunirent autour d'un feu. Il posa alors cette question à ses disciples: «Et vous, qui croyez-vous que je suis?»

Un seul osa affirmer qu'il était le fils de Dieu, le Christ incarné sur Terre: Simon Pierre! Comment se fait-il que les 11 autres apôtres qui côtoyaient pourtant Jésus depuis plusieurs années n'étaient pas encore en mesure de reconnaître en lui qu'il était effectivement le Christ? Cet élément bien présent dans la Bible me laisse pantois!

Autour du feu, entouré de ses apôtres, Jésus dit alors qu'il était temps pour lui d'aller à Jérusalem. Quelques-uns rajoutèrent qu'effectivement il était temps pour lui de s'y rendre afin que tous puissent le reconnaître comme étant le *Sauveur du monde.* Judas était celui qui prononça cette parole; en fait, il insistait. Un silence suivit. Les yeux fixés vers le destin, sentant le gouffre, l'abîme sous ses pieds, sans toutefois se laisser perturber par sa *vision*, Jésus de Nazareth se laissa imbiber par des forces occultes. Sinon, comment expliquer autrement que par des facultés PSI sa capacité de révéler, à l'avance, le destin que les gens de la Grande Cité lui réservaient: «[...] car en vérité je vous le dis, le Fils de l'Homme sera insulté, il sera humilié, on lui crachera au visage, on le flagellera, et on le condamnera à mourir...» N'est-ce pas là une... vision?

Personne ne semble en faire de cas. Pourtant, tous les éléments prédictifs se trouvent réunis dans cette seule affirmation. Un chien verrait cela avec sa queue!

Si l'on s'arrête quelque peu au contenu de la Bible, aisée demeure l'opération de découvrir que chacun des miracles de Jésus était d'abord précédé par une *vision*. Il annonçait toujours la couleur *avant* de s'exécuter. Un message peut-être?

Puis, comment demeurer sceptique face à cette autre extraordinaire affirmation de Jésus lui-même: «Un jour, vous ferez des choses encore plus grandes que moi!» Voulait-il nous dire que si nous voulions vraiment atteindre un degré supérieur de conscience comme lui l'avait fait, par le pouvoir de notre pensée, et sans doute avec une petite aide *extérieure* du Saint-Esprit, que tout demeurait possible... essentiellement pour les Hommes de bonne volonté?

Parlant de volonté, cela suggère de manière plus que directe, que nous nous trouvons ici dans un processus *d'acquisition* et non pas dans le monde de *l'inné*. Toute l'histoire du Christ propose qu'il soit arrivé ici-bas *fait*. Peut-être le seul exemple où *l'inné* semble la seule explication possible aux capacités hors normes du Christ. Mais cela me semble trop beau et facile pour être vrai. La Bible est le seul document sur terre qui tente de nous faire avaler que *l'inné* explique tout. Si c'était le cas, alors pourquoi Jésus aurait-il pris le temps de nous informer «qu'un jour vous ferez encore plus que moi»? Si nous venons au monde sans facultés, du moins comme lui est venu au monde, alors inutile de nous attirer sur une mauvaise voie. Cela est faire insulte à notre intelligence! La contradiction est très évidente ici, et si j'étais le président du Club de Rome, je rappellerais toutes les Bibles en circulation pour corriger cela et mettre en marché une édition *revue et corrigée.*

J'insiste, si Jésus lui-même affirme que nous pourrons un jour l'imiter, voire faire mieux encore, de deux choses l'une: ou bien l'histoire de la naissance du Christ est une fausseté, une aberration fomentée malicieusement afin de nous décourager et de mieux nous *contrôler* rendant ainsi *l'inné* exclusif à un seul individu, ou bien seul *l'acquis* est et doit demeurer notre seul champ exploratoire afin de nous permettre d'accéder à nos facultés PSI.

Nostradamus était-il un voyant?

Nous connaissons surtout Nostradamus pour ses textes appelés *Les Centuries.* Le médecin originaire de Saint-Rémy-de-Provence (France) était déjà respecté, et fort populaire, puisqu'il était pratiquement le seul à pouvoir guérir les malades aux prises avec la pire épidémie contagieuse qui frappait déjà en 1531: la peste. Même si l'homme n'avait pas été retenu par l'histoire pour ses talents d'astrologue et de voyant, celle-ci s'en serait souvenue en raison de ses talents de médecin.

À peu près tout a été écrit et dit sur Michel de Notre-Dame dit Nostradamus. Il est toutefois important de mentionner que les supposés exégètes de notre individu lui ont fait dire à peu près tout et n'importe quoi en se basant sur ses Centuries.

Connaissant le type de vie, ou plutôt le triste sort qu'a connu ce médecin populaire, je persiste à penser que les énormes souffrances auxquelles il a dû faire face, comme le décès de sa première femme et de ses deux enfants (1531), emportés par la peste alors qu'il réussissait à sauver les autres de la même maladie, ont contribué à la naissance de ses facultés.

De plus, l'isolement social qu'il s'imposa après cette difficile épreuve contribua plutôt positivement à l'augmentation qualitative de ses capacités psychiques.

Tel un ermite vivant dans sa grotte, Nostradamus en vint, lui aussi, à choisir un mode de vie en marge de sa société. Reclus dans sa petite demeure, il sombra, selon ce que l'histoire a retenu, dans une forme de dépression. Bien que remarié à Anne de Ponsard, jeune veuve salonaise, avec ses six enfants, il se réfugia dans *l'antre du dragon* ou si vous préférez, dans le *tribunal de son esprit*, pour paraphraser mon collègue auteur Gaétan Dubé.

C'est donc dans ce silence provoqué, dans un isolement choisi et rendu nécessaire, que le voyant entreprit une lente et laborieuse réflexion qui le conduisit à percevoir son avenir (il vit sa mort et comment, 200 ans plus tard, on allait profaner son tombeau) et celui de la planète.

Vivant sous le règne de l'Inquisition, Nostradamus produisit un texte obscur comportant des allusions au futur des humains et rédigé en vers. Un mélange de plusieurs racines de mots de différentes langues, couplé à de nombreuses connaissances dans différentes disciplines qu'il maîtrisait, n'ont pas contribué à éclaircir le contenu de ses textes.

Il appert qu'une fois l'événement produit, plus aisée devenait la tâche de découvrir le quatrain faisant allusion au dit événement.

Par ailleurs, selon les commentaires entendus concernant ces quatrains, seuls deux, parmi la centaine qu'il a rédigée, mentionneraient une date. Je me suis surtout intéressé à l'un d'eux, car il nous concerne. La date mentionnée dans ce quatrain ne laisse aucune place à l'hésitation quant à sa très nette précision, il s'agit du quatrain X-72:

L'an mil neuf cens nonante neuf sept mois,
Du ciel viendra grand Roy d'effrayeur.
Resusciter le grand Roy d'Angolmois,
Avant après Mars, regner par bon heur.

Avant la fameuse date de juillet 1999, bien des gens croyaient à la fin du monde, à une terrible guerre mondiale, à des raz-de-marée ou encore au déchirement définitif de la grande faille de San Andreas en Californie, séparant ainsi cet État du continent américain. Rien de tel ne se produisit pourtant. Mais pour que Nostradamus mentionne avec autant de précision le mois de juillet et l'année 1999, cela suggère sans conteste qu'il devait se produire un important événement.

Même le grand styliste Paco Rabanne, en France, interpréta ce passage comme l'avertissement de la retombée sur

Terre de la station orbitale russe MIR (qui se consuma plutôt le 23 mars 2001 au-dessus de l'océan Pacifique), et cela en plein cœur de Paris. Cet événement devait détruire la Ville Lumière. Le pauvre se planta royalement. Bref, tous ceux qui tentèrent d'interpréter ce quatrain *avant* la date mentionnée se trompèrent honteusement.

Nostradamus s'intéressait aux dirigeants de son époque, et il y a fort à parier que toutes ses visions touchant le futur, après sa mort le 2 juillet 1566, devaient également toucher les têtes influentes de la planète.

Selon François Payotte, un néo-Québécois originaire de France et considéré comme exégète du voyant de Salon, Nostradamus pouvait connaître le contenu de l'avenir en «regardant à travers la fenêtre», allusion ici à une sorte d'écran de télévision, sans doute créé par son propre esprit dans ses intenses moments d'extase?

Cette *fenêtre* pourrait bien être constituée par les signaux que son psychisme captait à partir d'ondes émises soit par d'autres cerveaux de son époque, soit de la nôtre, ou encore par nos actuelles stations de télévision, de radio, etc. Après tout, il est démontré que ces ondes traversent votre corps et votre esprit, au moment où vos yeux parcourent ces lignes, et cela à votre insu. Pourtant, elles existent! Les signaux émis par les premières stations radiophoniques poursuivent leur route dans l'espace à la vitesse de la lumière en s'éloignant de leurs sources d'origine. Ainsi, si nous possédions un vaisseau spatial capable de se déplacer plus vite que la lumière, soit 300 000 km à la seconde, nous pourrions rejoindre et dépasser les ondes hertziennes émises à la fin du XIXe siècle par Marconi, arrêter notre vaisseau, puis écouter ces premiers signes d'intelligence en provenance de la Terre. Nous pourrions conclure alors posséder le pouvoir de *lire* ou *d'entendre* la réalité du XIXe siècle, du passé donc.

Il faut *fabriquer* un appareil pour décoder ces ondes, une radio par exemple, du moins pour l'instant. Existerait-il une zone de notre cerveau capable de s'activer après de grandes souffrances et susceptible de décoder les informations contenues dans le temps sans avoir recours à un appareil électronique?

Toujours est-il que Nostradamus, nous le savons après coup et j'insiste là-dessus, aurait vu les sorts de Henri II, de Louis XVI et de Marie-Antoinette, de Napoléon Bonaparte, d'Hitler qu'il nommait Histler (curieuse ressemblance) et même d'un troisième personnage, un grand despote aux allures d'Antéchrist, pour ne nommer que ceux-là?

Des exégètes comme Ionescu, un Américain très au fait des Centuries, ont soutenu que Nostradamus avait vu les assassinats des frères Kennedy. Un quatrain me paraît assez bien correspondre à cette assertion, et même Jean-Charles De Fontbrune y fait également référence. Il s'agit de l'auteur français dont l'ouvrage portant sur la vie de Nostradamus a servi de trame au film hollywoodien intitulé *Nostradamus* (dont le présentateur n'était nul autre que le grand Orson Welles qui fit trembler l'Amérique en 1938 avec son radio-roman *La guerre des mondes*):

Le Grand du fouldre tombe d'heure diurne,
Mal lui prédit par porteur postulaire.

Innocent fait mort, on accusera,
L'oscent caché tahis à la bruine.

Plusieurs s'entendent pour affirmer ici que Nostradamus a vu la mort de John F. Kennedy, assassiné en cette belle journée ensoleillée du 22 novembre 1963 à Dallas, au Texas. Nous savons également que la voyante américaine Jeanne Dixon avait tenté, sans succès, de dissuader le président de se rendre à Dallas, car elle anticipait un risque pour sa vie. La deuxième phrase du quatrain la concerne, car c'est elle le *porteur postulaire*. Dans la première phrase, le «Grand» avec un «G» majuscule représente un président, une tête dirigeante, un personnage important, sinon la minuscule aurait été employée. Effectivement, Kennedy est *tombé* le jour (d'heure diurne).

Celui qu'on accusa d'assassinat fut Lee Harvey Oswald. La troisième phrase parle de *«l'innocent que l'on accusera puis que l'on tuera»,* de la main de Jack Ruby.

Puis, le *punch* se cache dans la dernière phrase du quatrain: quelqu'un caché dans un buisson aurait aussi participé à cette élimination du président Kennedy. Si vous revisionnez le film en couleur de l'époque, tourné par un amateur, on peut très bien remarquer la présence d'un homme embusqué dans un buisson. Il porte un chapeau et il semble tenir une longue tige sombre suggérant un canon de carabine qui pointe en direction de la Ford Lincoln. Nostradamus aurait-il vu ce meurtre, 400 ans plus tôt, au travers de sa petite *fenêtre*? La dernière phrase dudit quatrain semble l'indiquer en tout cas: *«L'oscent caché tahis à la bruine».* Il y avait encore de la rosée dans les buissons à cette heure-là selon un rapport météorologique commandé et analysé par l'exégète Ionescu.

Je voudrais revenir au quatrain X-72 puisque cet ouvrage se donne pour objectif de vous présenter les différentes facettes de la voyance. Les lignes qui suivent n'engagent que moi, et je me permets de les écrire parce que je ne suis pas plus bête que bien d'autres exégètes qui prétendent savoir comment décoder les textes de Michel de Notre-Dame. Tout en étant très conscient que l'erreur est possible.

Je suis assez enclin à croire que ce quatrain fait référence, encore une fois, à la famille Kennedy. En fait, il existe en tout, trois quatrains qui annonceraient le mauvais sort s'acharnant sur cette populaire famille: des références plutôt étonnantes au président que fut John F., son frère Bob, le sénateur Ted et aussi...

Vous souvenez-vous de juillet 1999?

Un petit avion privé, un Piper Saratoga, a décollé d'un aérodrome du New Jersey afin de rallier l'île de Martha's Vineyard dans le Massachusetts (É.-U.). Dans l'avion prenaient place John F. Kennedy Junior, 38 ans, son épouse Carolyn Bessette et sa belle-sœur Lauren. Il faisait nuit en ce 16 juillet. Selon les conclusions du Bureau national de la sécurité des transports (NTSB), la cause probable de l'accident fut l'incapacité du pilote à maintenir l'assiette de l'avion durant sa descente de nuit au-dessus de l'océan. Dans le jargon des pilotes, cela s'appelle la *désorientation spatiale*. Nous serions donc ici en présence d'une erreur de pilotage attribuée à deux causes probables: la première, de la *brume*, et la seconde, de la *nuit noire*. Depuis quand rencontrons-nous des *nuits blanches* à part, peut-être, lorsque nous souffrons d'insomnie? Les enquêteurs arrivèrent à cette conclusion après avoir analysé la carcasse de l'appareil et ils s'empressèrent de passer à autre chose!

Ce que l'histoire ne dit pas cependant, c'est que le pilote en était à une bonne centaine d'atterrissages diurnes et nocturnes sur la piste de cette île! Puis voilà que, soudain, il souffre de... *désorientation spatiale*? Et quoi encore?

Puisque Nostradamus a écrit des quatrains touchant aussi bien au père de John Junior qu'à ses deux oncles, je crois probable que le quatrain X-72 fait plutôt référence, non pas à la fin du monde, mais simplement à l'élimination systématique de tout ce qui se nomme Kennedy.

Relisons bien le texte: «Du ciel viendra un grand Roy d'effrayeur», cela fait clairement référence à un descendant d'un Roy, d'un chef d'État, d'un dirigeant et du ciel, soit un pilote aux commandes de son avion. Selon mon hypothèse, le mot *d'effrayeur* suggère que la couverture médiatique a été très importante et a soulevé beaucoup d'émotion aux États-Unis. Il est donc vraisemblable que cette émotion dégagée par la population dans l'angoisse du drame ait pu être pressentie par Nostradamus en *son* temps. Poursuivons.

À la troisième ligne, «Resusciter le grand Roy d'Angolmois». Les exégètes français souffrent sans doute un peu trop d'égocentrisme aigu, car la plupart ont cru à un ancien roi de la région d'Angoulême[2]. Moi, je vois tout simplement dans ce mot une référence à l'adjectif *engouement*. Les Américains n'ont pas oublié John F. Kennedy, sa très grande popularité, son charisme, sa personnalité forte. Ils n'ont surtout jamais oublié la triste image de ce petit garçon en culottes courtes, accompagnant Jackie lors du passage du carrosse funèbre. De toute évidence, cette phrase fait directement référence à John Fitzgerald Kennedy et à l'engouement qu'il a suscité chez ses électeurs alors qu'il tint tête aux Soviétiques lors de la crise de la baie des Cochons, ou encore lorsqu'il promit que le peuple américain allait être le premier à fouler le sol lunaire.

Mais ça se corse à la dernière ligne: «Avant après Mars regner par bon heur». Qu'est-ce que cela peut bien vouloir dire?

Mars, dans la mythologie romaine, représente le dieu de la guerre. Ce mot signifierait, selon mon interprétation, qu'avant John junior, quelqu'un ou un groupe faisait la guerre au clan Kennedy, et qu'après l'élimination complète des descendants susceptibles de revenir en

[2] Comté d'Angoulême, réuni à la France en 1308. Il fut donné en apanage à divers princes capétiens. Il forma en partie le département de la Charente, en partie celui de la Dordogne. Angoulême fait également référence à la duchesse Marie-Thérèse de Bourbon, princesse capétienne, fille de Louis XVI et femme du précédent. Louis de Bourbon, quant à lui, duc d'Angoulême, prince capétien, né à Versailles (1775-1844), était le fils aîné de Charles X, dauphin en 1824. De là peut-être la confusion d'ordre associatif entre l'endroit et les personnages importants de l'époque.

politique pour mener le pays, ce «quelqu'un» ou ce «groupe de personnes» impliqué dans ces meurtres en série pourra ou pourront enfin régner sans crainte, donc par «bonne heure» (à la bonne heure ou le temps venu) pour bonheur. Voilà! Il est toutefois fort curieux de constater que John-John, devenu encore plus influent avec son magazine (cela aurait été un excellent véhicule publicitaire pour sa campagne électorale puisqu'il en était l'éditeur), avait justement mentionné peu avant son décès, vouloir se présenter comme sénateur dans l'État de New York, l'endroit même où Hillary Clinton a finalement gagné son élection, une autre démocrate! Mais ce qui me tracasse les neurones est qu'après avoir récupéré les corps enfermés dans le petit avion, on s'est empressé de tenir une cérémonie plutôt brève en l'honneur des disparus, pour ensuite aller les rejeter à la mer, à l'endroit même où ils furent repêchés! Lorsque tous ceux qui ont été mêlés à cette affaire, depuis le père jusqu'au fils, seront décédés, la vérité sera révélée.

Tirée par les cheveux cette explication? Peut-être pas! Il est tellement simple de dévisser un boulon qui retient l'hélice au moteur. Après quelques milliers de tours, l'écrou s'arrache et l'hélice disparaît, provoquant ainsi la chute subite de l'avion vers le sol. Les contrôleurs aériens interrogés par les médias relativement à ce triste événement mentionnèrent clairement que le Piper Saratoga a disparu des écrans radar à une vitesse extraordinaire, suggérant que le petit avion a piqué du nez pour s'abîmer en mer. Cette affirmation viendrait donc mettre du poids sur l'hypothèse d'un sabotage du moteur de l'avion du fils Kennedy, et rendrait caduque l'hypothèse de la *désorientation spatiale.* Je connais bien l'aviation, j'ai piloté moi-même (Cessna 150, Cessna 172, Beachcraft), j'ai une très bonne idée de l'action des vents sur les ailes d'un zinc, je connais aussi les dangers de pénétrer dans un cumulonimbus, et je sais que si le pilote n'est pas à l'aise avec les coordonnées célestes (l'astronomie aidant), il aura de la difficulté à trouver le Nord. Mais il lui suffira de syntoniser la fréquence d'une station radio dans les parages, pour ensuite diriger le nez de son avion vers l'antenne émettrice, ce qui contribuera à lui permettre de voler même les yeux bandés. Vous pourriez croire que tout ce que je viens d'écrire plus haut est sans doute faux... Mais laissez-moi vous dire une chose: la fin du monde n'a pas eu lieu en juillet 1999. Trois personnes sont mortes cependant, et un homme l'a sans doute pressenti 400 ans plus tôt.

Les dangers et les avantages à consulter un voyant

Les dangers

Sans vouloir dramatiser, ce chapitre a néanmoins pour objectif de mentionner certains éléments que le futur consultant aurait avantage à retenir. Adopter l'attitude de l'autruche n'est pas conseillé. «Un homme averti en vaut deux» dit-on, alors explorons ensemble la nomenclature de certains risques auxquels nous pourrions nous exposer.

Dans un premier temps, le plus grand danger auquel s'exposerait un consultant serait, à mon humble avis, celui de la *dépendance* à un voyant. Je donne ici un exemple que j'ai personnellement vécu.

Un millionnaire découvre une voyante dont la réputation n'est plus à faire. Son malheur aura été qu'au premier contact, elle ne s'est pas du tout trompée sur le passé du consultant. Subjugué par la précision de ses propos, voilà que notre important personnage développe une forme très concrète de *dépendance psychologique* envers cette dame.

Il ne pouvait même plus sortir son linge sur la corde pour le faire sécher au soleil sans téléphoner à sa voyante pour obtenir son opinion. J'exagère à peine.

Voulait-il investir? Il consultait la voyante. Voulait-il vendre un commerce? Il consultait la voyante. Voulait-il prendre l'avion? Il consultait la voyante. Voulait-il un associé? Qu'est-ce que la voyante en pensait? Il n'en finissait plus d'attendre une opinion avant d'arrêter sa décision.

Et cela dura, car la voyante, sans doute exaspérée par un tel acharnement, fut incapable de dire à notre millionnaire qu'il pourrait peut-être commencer à se faire confiance un peu plus et à se fier à son propre jugement. Mais un jour, la voyante commit une bévue. Dans l'esprit de notre consultant, la voyante *voyait* pas mal moins bien qu'à ses débuts!

Il est tombé de haut! Aujourd'hui, cet homme ne veut plus rien savoir de la voyance. Mais à qui incombe la faute?

Je vous l'ai mentionné au début de cet ouvrage: il ne faut jamais consulter deux fois le même voyant. Il finira par quitter les lois qui gouvernent *l'intuition* pour glisser sous celles de *l'impression*. Les risques d'erreurs se cachent à cet endroit précis. Donc, la *dépendance* demeure l'un des principaux dangers.

Un autre danger est la *croyance*. Selon mon collègue et ami Gaétan Dubé, auteur de l'essai *Processus vers la lumière*, «croire équivaut à nier sa propre capacité de savoir». Lorsque l'on donne son cerveau (je parle au figuré bien sûr) à un tiers, tout peut se produire. L'OTS en est un exemple patent.

Si un voyant vous parle de la mort d'un proche ou pire, de la vôtre, comment réagiriez-vous?

Si vous adoptez l'attitude naïve de *croire* et de prendre au pied de la lettre une telle information, votre vie pourrait devenir exécrable, voire insupportable. Vous vous enfermeriez dans votre demeure en attendant que cela se produise. Ce n'est pas très bon pour le moral.

Cela me rappelle un événement s'étant produit à Trois-Rivières, au cours de l'année 1987. Julie, une fidèle téléspectatrice de mes émissions *FUSION* de l'époque, et aussi une amie, venait d'entendre exactement ce qu'elle ne voulait pas entendre. Elle sortait du bureau d'une voyante *réputée* de sa ville natale. *Ce prophète de malheur,* conclut-elle, n'aura pas raison! Elle pensait à cela en revenant chez elle car la voyante venait de lui apprendre qu'elle courait un très grand risque d'accident, et l'événement, si elle n'y prenait garde, allait peut-être lui coûter la vie. Et qui plus est, elle rajouta que cela devait se produire très prochainement.

Paniquée, on le comprend, Julie prit la décision de conjurer le sort, et opta pour s'enfermer chez elle quelques jours, le temps que ce vent de malheur passe.

Vous ne devinerez sans doute jamais la suite. Elle fut découverte morte par sa cousine avec qui elle cohabitait. Julie était allongée sur le sofa du salon, et un très lourd appuie-livres avait sans doute contribué à affaiblir les supports muraux retenant la tablette sur laquelle il reposait. Résultat: la planche céda et l'appuie-livres vint arrêter sa chute au beau milieu du crâne de Julie qui faisait la sieste! Destin tragique, direz-vous? Je le pense aussi. Mais où est le libre-arbitre dans tout cela? Qui a dit que l'être humain pouvait *décider* de son sort et que le destin n'était pas toujours immuable? Mon œil! J'étais choqué, profondément choqué lorsque l'on m'annonça la nouvelle de sa mort. Je suis allé à son service funéraire. Je l'ai longuement observée dans son cercueil. Je lui ai parlé aussi. Mais elle, elle ne m'a pas répondu.

Je suggère toujours aux personnes qui me demandent quel voyant consulter, de bien réfléchir sur eux-mêmes, dans un premier temps, afin de s'assurer s'ils sont vraiment préparés à une telle rencontre. Une fois cette opération faite, je m'attache toujours à vérifier cette solidité intérieure par des questions que je ne révélerai pas ici. Si je ressens trop de fragilité, de la faiblesse, un grand désarroi, c'est à un psychologue que je vais renvoyer mon interlocuteur, pas à un voyant. Je ne pourrai jamais oublier l'aventure de Julie.

Toutefois, si je sais que cette personne voit cela comme un jeu, une expérience amusante et possiblement enrichissante pour elle, je pourrai lui fournir quelques adresses. Je demeure cependant assez réticent à le faire, car l'expérience m'a appris que si le consultant n'est pas satisfait, c'est sur moi qu'il reviendra en me reprochant de l'avoir mal aiguillé. Comme je ne peux me rendre responsable de tous les voyants qui pratiquent au Québec, je préfère offrir plusieurs adresses dans la région de celui qui désire consulter, en précisant bien que je ne garantis pas les résultats. Après tout, ce n'est pas moi le voyant, n'est-ce pas?

Vient ensuite le risque de la *manipulation*. Bien des voyants usent de leur pouvoir pour s'entourer de personnes attirantes. Certains d'entre eux, et Dieu sait que j'en ai identifié plusieurs, ne voient pas plus loin qu'un cyclope hypermétrope! Qu'ils se donnent des noms ronfleurs de planètes, d'anciens druides celtiques, de messagers cosmiques ou encore des prénoms dont la terminaison est toujours en *on* parce qu'ils pratiquent le *channeling*, cela ne m'impressionne guère!

Cette *manipulation* peut aller loin. Si le consultant est fragilisé par une séparation difficile, s'il se remet difficilement d'un deuil, d'une perte d'emploi, d'une faillite, bref qu'il semble dans une impasse et qu'il recherche du réconfort ou une solution miracle, certains voyants sauront capitaliser sur cette situation et en profiteront. Ils ne le feront pas toujours dans un dessein altruiste.

Il faut donc apprendre à se prémunir contre toutes formes de pénétration illicite dans son esprit. Si nous savons verrouiller les portes de notre automobile ou de notre maison lorsque nous la quittons, alors, à plus forte raison, comment se pourrait-il que nous ne sachions pas encore verrouiller les portes de notre esprit? Certains se comportent comme de véritables péripatéticiens de l'âme! On ne doit *jamais* laisser entrer dans notre espace vital n'importe qui, n'importe quoi et n'importe quand. De là l'importance de toujours savoir conserver une bonne distance et beaucoup de jugement lorsque l'on s'adresse à un voyant. Il ne faut pas tout gober bêtement!

Par ailleurs, il ne faut pas donner son adresse et son numéro de téléphone à un voyant. Demandez-lui plutôt sa carte. S'il insiste trop, soyez direct. Un non, c'est un non, et il doit le comprendre. Certains voyants harcèlent les gens pour qu'ils reviennent les consulter sur une base régulière. Évitez cela autant que faire se peut. Vous avez le droit absolu de consulter qui vous voulez et quand vous le voulez, un point c'est tout. Demeurez le maître en toutes circonstances et ne vous laissez surtout pas amadouer.

Puisqu'il y a de plus en plus de voyants qui utilisent le téléphone pour travailler, évitant ainsi de longs déplacements à certains clients, ce qui n'est pas une mauvaise idée en soi, la prudence reste de mise. Principalement dans ce cas puisque le voyant vous demandera de lui expédier un mandat-poste (moins facile à repérer par le ministère du Revenu qu'un chèque personnel, soit dit en passant). Ensuite, il vous informera qu'après avoir encaissé le mandat-poste, il communiquera avec vous, en PCV (à frais virés), pour répondre à vos questions. Je suggère toujours aux gens de bien se renseigner auprès du voyant pour qu'il vous fournisse au moins toutes ses coordonnées et, mieux encore, son numéro d'assurance sociale. S'il refuse dans ce dernier cas, ce qui est son droit vu l'aspect confidentiel de ce numéro, celui de son permis de conduire suffira. S'il vous demande pourquoi, répondez-lui qu'il s'agit d'un moyen de vous protéger et que vous ne désirez pas qu'il encaisse votre argent en évitant de remplir sa partie du contrat verbal. En cas de fraude, vous pourrez toujours le retracer grâce à son numéro de permis de conduire et alors, il vous sera possible de porter plainte auprès de la police pour que justice soit rendue.

Normalement, la grande majorité des voyants est honnête. Mais il y a toujours une minorité qui existe et dont la principale fonction consiste à nous faire suer, et à venir entacher la réputation des autres. Pour ma part, j'expédierais mon chèque personnel (si le voyant insiste pour un mandat-poste, cela vous indiquera qu'il ne déclare pas tous ses revenus au fisc) ou mon mandat-poste sans fournir mes coordonnées complètes. Puis, je dirais au voyant que c'est moi qui communiquerai avec lui à une *date* et *heure* établies d'un commun accord. Le jour venu, j'utiliserai le service téléphonique qui permet de garder l'anonymat, au Québec, *67. Je m'assure ainsi de ne jamais être importuné par un voyant qui voudrait me relancer, lorsqu'il sera en manque de clients, comme cela est toujours possible.

Dans le cas des infopublicités télévisées, c'est encore plus risqué. Les entreprises qui chapeautent ces émissions conservent le plus de renseignements possible sur les personnes qui entrent en communication avec elles. Certaines vont jusqu'à vendre *des listes de clients* à d'autres sociétés pour leurs campagnes promotionnelles touchant des produits dérivés. Vous vous exposez alors au risque de voir votre boîte aux lettres s'encombrer d'un tas de documents sans doute inutiles.

Je vous signale que le plus grand risque de téléphoner à un voyant à 5,99 $ la minute (quand cela n'est pas plus dispendieux encore!), est d'attendre 5 minutes en ligne pour commencer, puis le consultant étire la conversation le plus possible afin de vous arracher un maxium d'argent. Choisissez donc la voie d'une consultation en tête-à-tête, c'est plus intime et efficace, en plus d'être beaucoup plus amusant et profitable.

Les avantages

Il n'y a pas que des dangers à consulter un voyant. Les avantages peuvent être tout aussi nombreux. À titre d'exemple, si un voyant ressent avec beaucoup de précision un petit risque d'incident devant vous toucher prochainement, peut-être serait-il bon pour vous d'ouvrir les yeux un peu plus et de demeurer très alerte! Vous pourriez peut-être contourner la difficulté comme cela s'est déjà produit pour plusieurs personnes.

Un autre avantage est que cela permet à certaines personnes de découvrir ainsi qu'elles ont elles-mêmes des facultés identiques à celles du voyant rencontré. Il existe des voyants qui se sont lancés dans cette pratique parce qu'ils se sont fait dire par un autre, en pleine consultation, qu'ils avaient un don pour le tarot, pour interpréter facilement les rêves ou pour guérir (arrêter le sang, par exemple).

Si, en pleine consultation, le voyant et le client se découvrent des atomes crochus, une belle et solide amitié pourrait naître. Cela peut sembler simplet, mais tout est possible.

Une fois la porte de la conscience ouverte sur le monde du paranormal, de l'insolite, elle ne se referme plus, ce qui peut constituer à la fois un avantage et un inconvénient. Je veux dire par là que tant qu'une personne ignore tout de ces phénomènes, elle poursuit son petit bonhomme de chemin avec les seuls outils contenus dans son coffre: ses cinq sens et son esprit rationnel. Ainsi, toutes les informations de la vie passent par le filtre de son mental rationnel. Tant mieux pour ceux qui sont heureux de cette manière.

Mais, dès qu'on accepte l'idée qu'il puisse exister autre chose dans la vie que le monde matériel, que les choses palpables et mesurables alors, la porte s'ouvre. L'esprit ainsi piqué au vif par la curiosité d'apprendre, par le désir d'approfondir son savoir dans les différents champs de l'étrange, cet esprit-là ne voudra plus s'arrêter, voire reculer.

Je vois cela comme un avantage. Plus on avance dans cette sphère de la connaissance, moins la peur nous habite et plus sûrs sont nos pas. Notre conscience s'élargit jour après jour et le hasard se charge de placer sur notre route une multitude de gens intéressants qu'autrement nous n'aurions jamais connus. Alors cela me semble largement suffisant pour tenter l'aventure.

On pourrait penser qu'étant donné la longueur plus importante du texte concernant les dangers par rapport aux avantages de consulter un voyant, qu'il existerait donc moins de bonnes raisons à consulter. Je ne le pense pas. Mais puisqu'il faut bien appeler un chat, un chat; disons que j'ai voulu sciemment en rajouter un peu plus sur les dangers afin de bien circonscrire toutes les avenues où il y a un risque potentiel pour l'esprit non préparé à affronter le monde de l'insolite. Après tout, un marteau peut servir à construire une maison, mais il peut aussi être utilisé pour tuer un individu. La morale de cette histoire étant que le danger dépend toujours de la main qui tient le marteau.

ASTROLOGUES VERSUS VOYANTS: L'ASPECT POPULARITÉ

IL est surprenant de constater que les détracteurs de la voyance ou du paranormal en général, s'accordent pourtant tous pour dire qu'il existe une discipline inoffensive et plus populaire, donc plus exacte: l'astrologie.

Tous les quotidiens, aussi prestigieux soient-ils, publient une petite chronique touchant l'astrologie.

Au Québec, même les journaux très sérieux de Montréal, comme *La Presse* (ou encore *Le Devoir* il n'y a pas si longtemps), ont leur chronique astrologique. C'est très bizarre, non? Pourquoi ne publient-ils pas aussi une chronique sur la voyance? Est-ce à dire que la première discipline est plus importante et vraie que la seconde?

Comme il est de bon ton d'être à la mode, c'est l'astrologie qui l'emporte pour l'instant, car les étoiles dans le ciel sont visibles pour tout un chacun, alors que les mécanismes de la voyance demeurent *invisibles.*

Nous devons simplement dire que se sont les préjugés sociaux qui font que l'astrologie ressemble moins à une *syphilis des neurones* que la voyance. La première s'affiche au grand jour, tandis que la seconde continue de s'exercer dans les sous-sols, à l'abri des regards inquisiteurs.

La voyante Jojo Savard n'a pas hésité à utiliser une lettre de félicitations de la main d'Aline Chrétien, épouse de l'actuel (2001) premier ministre du Canada, l'Honorable Jean Chrétien, pour mousser sa popularité. Cette lettre semblait lui permettre de proclamer: «Regardez, je ne me trompe jamais, et je suis la meilleure, parce que la femme du premier ministre me consulte!» Qu'est-ce que ce genre de comportement? Ce type d'affirmation induit la population en erreur.

En quoi une lettre offre-t-elle une garantie de sûreté sur le degré de précision que peut atteindre un voyant, ou un astrologue, dans l'application quotidienne de sa faculté? En rien, à mon avis! Une fois encore par cet exemple, je vous dis que le discernement est de rigueur.

L'astrologie relève pourtant d'une grossière erreur. Elle prétend que les étoiles et les planètes ont une influence sur la psyché humaine. Le problème est que *le mouvement de précession des équinoxes* qui correspond environ à 26 000 ans provoque un phénomène très observable pour quiconque se donne la peine de le vérifier.

Sortez cette nuit, si le ciel est dégagé, et après avoir lu l'horoscope qui vous aura annoncé que Jupiter entre dans le Taureau, à titre d'exemple, vous constaterez que la planète jovienne ne s'y trouve nullement. Elle sera plutôt décalée de 30° en moyenne par rapport à la position suggérée par les astrologues contemporains.

Sans vous inonder de chiffres et d'explications compliquées, il suffit simplement de savoir qu'il existe dans le zodiaque, une bande imaginaire occupée par le Soleil, 12 constellations et les 9 planètes de notre système solaire. Ainsi, pour former un cercle de 360°, si nous divisons ce chiffre par le nombre de constellations, nous arrivons à 30, soit les 30° qu'occupe, en moyenne, une constellation dans la voûte céleste. À l'époque du Christ, nous vivions sous l'ère du Poisson, actuellement nous entrons dans l'ère du Verseau. Là-dessus, tous les astrologues s'entendent.

Mais si vous calculez 2 000 ans par ère, ce qui correspond également à 2 000 ans par constellation, et qu'il existe 12 constellations dans le zodiaque, j'arrive à la conclusion que 2 000 fois 12 égale 24 000 ans, non pas 26 000 ans comme cela devrait être le cas pour le mouvement de précession équinoxial.

Cela explique pourquoi les astrologues se trompent; ils s'appuient sur des bases erronées plutôt que de se fier à la position *réelle* des planètes et de l'arrière-plan formé par les constellations. Ainsi Jupiter, dans notre exemple, ne pourra être responsable de votre gain subit à une loterie parce qu'un astrologue affirme que la planète occupe la position de la constellation du Taureau. En levant les yeux vers le ciel, on découvre plutôt que Jupiter est dans la constellation située tout à côté, soit le Bélier, toujours un signe de moins. Alors en ce qui concerne l'affirmation que la relation planètes et constellations agisse sur notre mental, il faudra repasser, s'il vous plaît!

Voilà pourquoi je vous suggère de lire les renseignements relevant de votre *ascendant* avec plus d'intérêt que le signe dans lequel le Soleil se *situait* lorsque vous êtes né! La justesse des prédictions sera plus grande.

Tout astrologue sérieux ou prétendu tel vous affirmera que l'astrologie de journaux ne vaut rien. Les prévisions sont beaucoup trop générales, et n'importe qui pourrait écrire une chronique astrologique avec un peu de bon sens, et quelques trucs relatifs à la psyché humaine.

Seul un thème astrologique personnalisé peut se rapprocher de la vérité. Même ici encore, j'exprime des réserves. Mentionnons quand même ici qu'Albert Einstein lui-même a déjà ouvertement affirmé s'intéresser à cette *discipline*, car elle traduisait plutôt bien selon lui, cet égrégore, où la psyché humaine se trouvait projetée dans le firmament.

Cela indique que les astrologues sont plus exposés aux lois *d'impression* et du *hasard* que les voyants. Je le répète, les astrologues sont plus populaires dans nos médias parce que les étoiles sont visibles. Un point c'est tout!

L'avantage du voyant est qu'il doit tenir compte des émotions de son client. Il doit travailler en direct, en face-à-face, et composer rapidement avec les influx de son cerveau qui lui transmettent beaucoup d'informations, en peu de temps. Sa marge d'erreur se voit ainsi considérablement réduite si nous la comparons à celle de l'astrologue généraliste des journaux.

Qui consulte un voyant et pourquoi?

Profil

Toutes les classes de la société sont représentées. Il n'existe pas, à proprement parler, un consultant type même si les questions sont toujours très similaires d'un client à l'autre: amour, argent, travail et santé sont le lot des voyants.

Parmi la clientèle consultante, la tranche d'âge est de 25 à 65 ans, surtout. Bien qu'il existe tout de même de jeunes consultants, ils se font souvent accompagner d'un parent plus âgé pour la consultation. Ce dernier l'aura entraîné dans le cabinet du voyant.

Contrairement aussi à la croyance populaire, ce ne sont pas des gens peu instruits qui se déplacent dans les petits bureaux privés de consultation. Une assez vaste gamme comprenant des universitaires, des personnalités importantes de la scène politique et culturelle ont recours à ce type de service. Ils ne s'y rendent certes pas pour se faire dire quoi faire, mais recherchent plutôt une *confirmation extérieure* à un choix déjà arrêté, dans la très grande majorité des cas.

Il existe un autre fait dans le monde de la voyance qui demeure plutôt invérifiable. Pratiquement tous les voyants vous diront que de grands hommes d'État les consultent à l'occasion. Certaines rumeurs ont couru à cet égard notamment sur Nancy Reagan, femme de l'ex-président américain Ronald Reagan. Un astrologue new-yorkais disait que le président ajustait ses décisions politiques en fonction des propos qu'il lui tenait! Cela souleva l'ire de la population et des critiques présidentiels. Vérité ou mensonge? Plusieurs voyants aiment à se vanter de telles relations, peut-être dans l'espoir d'attirer une plus vaste clientèle. Bien que la chose soit possible, elle demeure peu probable; néanmoins les politiciens sont d'abord des êtres humains. Il doit bien exister parmi eux certains individus qui accordent un intérêt prononcé au sujet, mais ce n'est certainement pas sur la place publique qu'ils iront s'en vanter.

Dans la clientèle des voyants, on relève un pourcentage plus élevé de femmes que d'hommes. En cela, je rejoins par mes observations le théorème de Jules Michelet. Cet homme parle plutôt des gens qui exerçaient la voyance au Moyen Âge, mais, de nos jours plus de femmes exercent et plus de femmes consultent, rien n'a vraiment changé. Et les raisons en sont nombreuses. Disons surtout que la sensibilité de la femme étant plus extériorisée, elle en a par conséquent moins honte; les femmes expriment un peu plus leurs émotions, et la société encourage ce stéréotype. Les hommes, eux, s'en cachent. C'est comme ça!

Les hommes de leur côté posent beaucoup de questions sur leur emploi, tandis que les femmes s'attardent surtout sur les questions amoureuses. Pour la santé, on remarque que les femmes y songent davantage que les hommes. Évidemment, si un homme vient d'apprendre de la bouche de son médecin qu'il lui reste peu de temps à vivre en raison d'un cancer, la question tournera autour du diagnostic: s'est-il trompé? Que puis-je faire maintenant du temps qu'il me reste? etc.

Motifs

Nous nous rendons à l'église lorsque quelque chose cloche dans notre vie. Nous y allons pour y implorer Dieu afin qu'il intercède dans notre vie dans le but qu'elle s'améliore, que les mauvais augures qui s'acharnent sur nous puissent s'évaporer. Nous pourrions conclure que les gens qui consultent des voyants se déplacent un peu pour les mêmes raisons.

Certains consulteront pour confirmer les choix ou les décisions qu'ils ont pris. Par contre, un large pourcentage de consultants attendent beaucoup plus d'un voyant. Ceux-ci voudront savoir et entendre qu'ils vont gagner à la loterie, que leur maison sera vendue rapidement, que leur santé s'améliorera ou qu'ils décrocheront enfin un meilleur emploi.

Rares sont les gens qui consulteront pour connaître l'avenir du pays dans lequel ils vivent. Essentiellement, les questions graviteront surtout autour de leur propre destinée.

Par exemple, j'ai eu beau tenir plusieurs conférences partout au Québec concernant la voyance, à chaque fois, les questions concernaient la personne qui osait se lever pour interroger le voyant qui m'accompagnait. Donc, les gens pensent d'abord à eux avant de s'intéresser aux autres, à l'ensemble de la société. Par cette position privilégiée d'animateur de conférences, je pourrais presque affirmer que, parfois, l'activité devenait davantage un test de Rorschach! Les gens m'apparaissaient comme de petites taches d'encre avec chacun leurs petits malheurs. C'est vrai que je suis un homme chanceux, car comme l'aigle, je me suis élevé au-dessus de la condition humaine et mon regard a embrassé tous les conflits internes des êtres qui habitent ce petit vaisseau spatial que nous habitons. Vue du sol, la Terre est plate. Vue d'en haut, l'horizon s'arrondit suggérant ainsi que nos sens représentent encore trop souvent le plus mauvais instrument de mesure. «L'essentiel est invisible pour les yeux», nous disait Antoine de Saint-Exupéry. Je le pense aussi.

Nous ne vivons pas dans la bande de Gaza ou en Israël, je comprends bien. Mais il serait intéressant de vérifier si les gens qui vivent dans un territoire constamment en guerre, poseraient plus de questions sur celle-ci plutôt que sur l'achat éventuel d'un nouveau bateau ou d'un chalet!

Puisque le consultant doit payer pour jouir du privilège de s'asseoir en face d'un voyant, il m'apparaît normal que les questions posées gravitent davantage autour de sa propre entité. J'ai moi-même eu ce comportement très fréquemment. Après tout, à quoi sert-il de connaître le futur du Québec si je ne suis même pas certain d'en avoir un moi-même?

L'IMPACT SOCIAL ET ÉCONOMIQUE DES VOYANTS DANS NOTRE SOCIÉTÉ

L'IMPACT SOCIAL

Ce chapitre explorera un aspect de la voyance assez important, et très rarement analysé, l'impact social des voyants. Cette analyse, on le présumera, peut s'étendre à tous les pays.

Cette mancie s'exerce, encore aujourd'hui, dans la tranquillité de cabinets privés, dans des salons ou dans certains sous-sols, rares sont les personnes qui se sont arrêtées sur le chiffre d'affaires de la voyance (pour ne présenter que ce type de mancie, alors imaginez si nous les analysions toutes!). Ces chiffres, je vous les dévoile un peu plus loin.

Certaines personnes, hommes et femmes, décident parfois de plaquer leur *boulot conventionnel* pour ne plus s'adonner qu'à cette forme populaire de mancie, c'est donc dire l'importance de celle-ci sur le plan social.

Les voyants jouent un rôle important dans notre société, et en ce sens, rien n'a changé depuis les sociétés féodales où les rois jouissaient eux aussi de la présence d'un voyant ou d'un astrologue.

Ces gens ont une énorme influence. J'insiste beaucoup sur ce point, bien qu'il m'ait été donné de mesurer l'aspect aussi bien *positif* que *négatif* de cette faculté PSI chez les consultants, car je trouve aberrant, voire carrément irresponsable comme attitude, que nos dirigeants politiques n'aient pas encore adopté de lois pour exercer un certain contrôle sur ces *praticiens*. Ce contrôle pourrait servir de garantie de qualité ou à tout le moins, offrirait des possibilités de protection pour celui qui consulte.

Il est beaucoup plus fréquent que nous pourrions le croire de découvrir, en parcourant les pages de grands quotidiens, qu'un voyant Y ou Z a profité de *ses dons* pour tripoter une cliente ou pour lui arracher des milliers de dollars de manière honteuse et surtout frauduleuse.

Certaines corporations, comme l'Ordre des psychologues du Québec, permettent à une personne lésée de poursuivre en justice l'un de ses membres qui a dérapé. Le praticien jouit d'une assurance et il doit y souscrire. De plus, comme il a suivi une formation adéquate et rigoureuse, il remplit les conditions *sine qua non* du droit d'exercer. Il est régi par un code d'éthique et doit s'y conformer.

Dans le monde de la voyance, il n'existe rien de tel. Certes, une association a bien tenté de se créer au Québec (aux alentours du début des années 90), mais sans connaître un très grand succès. Le problème est que l'aspect *compétitif* semble beaucoup plus présent chez les *voyants* que chez les *psychologues* par exemple, et cette course à la popularité empêche ici toute forme de création d'une association ou d'un ordre susceptible de voir à la bonne conduite de ses membres. J'ai choisi l'exemple de l'Ordre des psychologues du Québec mais j'aurais pu en prendre un autre parmi la centaine d'associations ou ordres qui existent chez nous. Et cette constatation est aussi valable pour les autres pays, malheureusement.

Essayez de défendre vos droits en cour, devant un juge déjà fort sceptique, alors que vous avez le fardeau de la preuve, et que vous désirez obtenir un dédommagement pour un service vous ayant coûté 150 $, tout ça parce que vous vous sentez lésé dans *vos* droits? Il vous sera d'abord extrêmement difficile de vous dénicher un procureur qui connaisse ce monde, et surtout, un procureur informé de ce type de problème. La voie de l'abus est totalement libre pour le moment au Québec, car n'importe qui peut se donner le titre de *voyant* ou de *psychothérapeute*.

Beaucoup de voyants, médiums, parapsychologues arborent sur leurs cartes de visite le titre ronflant de psychothérapeute. Et comme la plupart des gens n'y voient que du feu, ils les consultent en croyant avoir affaire à une personne qui possède une formation adéquate, ce qui malheureusement est rarement le cas.

Un psychothérapeute, je tiens à ce que vous le sachiez, n'est absolument pas obligé d'avoir terminé ne serait-ce qu'un baccalauréat en psychologie pour travailler. Par contre, et là les mots sont importants, un psychologue doit avoir une maîtrise pour s'afficher, et en plus, il doit être membre de l'Ordre des psychologues du Québec pour obtenir son droit d'exercer la profession.

Voici un autre exemple patent: celui qui interprète le caractère des gens par la morphologie du visage, doit-il se donner le titre de *morphopsychologue* ou celui de *psychomorphologue*? Pensez-y avant de répondre...

Le premier est passible d'amendes pour fausse représentation. Le second serait le titre juste. Pourquoi? Simplement parce qu'au sens de la Loi, la terminaison fait foi de tout. Dans notre exemple, *psychologue* est la terminaison du titre. Par conséquent, cette personne a suivi une formation au sein d'une université officielle, et a choisi d'exercer la *psychologie de la morphologie*.

Dans notre second cas, la formation peut être présente mais *non reconnue,* et le praticien met de la *psychologie* dans l'art qu'il a développé à analyser le caractère d'un client en fonction des traits du visage et du corps, en général. La différence est fondamentale et offre la possibilité de démontrer au magistrat qu'il y a eu abus de pouvoir ou fausse représentation.

Mon objectif n'est pas de vous faire peur ou de me lancer dans une chasse aux sorcières. Toutefois, lorsque je découvre un praticien d'une mancie quelconque qui *se gonfle le coffre,* tel un paon orgueilleux, de toutes sortes de titres en refusant de jouer franc-jeu, cela ne me laisse pas indifférent. J'ai horreur de l'injustice, que je sois partie prenante ou non. Jamais je ne resterai silencieux devant une quelconque forme d'abus de pouvoir. Je dénoncerai, j'attaquerai et poursuivrai de toutes mes compétences et ressources, quiconque cherchera à nuire sciemment ou non à autrui, fort ou faible, riche ou pauvre. Il existe des *croches* dans ce bas monde, et rien ne me procurera plus de satisfaction que d'avoir été pour quelques-uns du moins, l'outil de leur *karma*! Je ne souffre pas du *syndrome de Jésus-Christ* (celui qui veut sauver tout le monde) ou du complexe de *Robin des Bois* (enlever aux riches pour mieux redistribuer aux pauvres); mais puisqu'il ne semble pas y avoir de *police* pour surveiller ce type de dérapage, j'ai décidé de remplir cette délicate fonction dans la mesure de mes moyens. J'ai toujours admiré les justiciers, et j'essaie, à ma modeste échelle, de contribuer à protéger ceux qui ne sont pas obligatoirement connaisseurs dans le domaine dont je traite ici.

Ainsi, malgré mes nombreux détracteurs depuis 24 ans, je ressens beaucoup de satisfaction lorsque l'un d'eux revient vers moi pour obtenir de l'aide. En effet, c'est souvent ainsi que les choses finissent. Je suis dans la ligne de mire de plusieurs, et je prête le flanc à de fort nombreuses critiques, mais les gens qui m'ont le plus sévèrement critiqué sont toujours revenus vers moi pour discuter d'égal à égal, et avec beaucoup de franchise et d'honnêteté. Lorsque personnellement confrontées à des problèmes épineux et délicats, sans que personne ne soit disposé à les écouter, certaines de ces personnes m'ont révélé se sentir soulagées de découvrir enfin une oreille attentive à leurs problèmes.

Les détectives psychiques

Je considère que l'influence sociale des voyants pourrait fort bien devenir plus importante si les *préjugés* et la *peur* venaient à disparaître. Par exemple, aux États-Unis, d'excellents voyants, ayant fait leurs preuves, servent désormais dans quelques corps policiers, et agissent à titre de *détectives psychiques* dans des dossiers insolubles. Ces *détectives psychiques* œuvrent essentiellement sur des cas où les policiers, après avoir épuisé toutes leurs ressources, acceptent de faire de la place à cette mancie qui a déjà donné des résultats probants.

Nous avons vécu au Québec, vers 1985, toute une série de disparitions de jeunes enfants tels que les Viens, Lubin, Métivier, sans que les limiers réussissent à épingler le ou les responsables.

Pourquoi dans de tels cas ne pas avoir eu recours à des *détectives psychiques* pour faire avancer les dossiers, voire peut-être les régler? Qu'est-ce que la société aurait à perdre ou à risquer puisque plus rien n'avance?

La politique d'intervention, dans de tels scénarios, pourrait être fort simple. Les enquêteurs de la police font leur boulot comme il se doit, et si les résultats ne sont pas probants, alors en tout dernier recours, on utilise ces praticiens de la voyance pour tenter de résoudre l'énigme.

L'avantage serait ici de vérifier les assertions des voyants par un moyen direct et précis. Si un chien peut renifler l'odeur d'un vêtement d'une personne perdue en forêt, puis se mettre à courir dans sa direction pour finalement la découvrir, à plus forte raison, pourquoi un voyant ne jouirait-il pas d'une autre sorte de don susceptible de *ressentir* les énergies se dégageant des biens ayant appartenu au disparu, et ainsi permettre de relancer l'enquête dans une direction susceptible d'aboutir?

Il y a quelques années, mon équipe et moi travaillions à retrouver la jeune Mélanie Decamps, portée disparue du parc des Voltigeurs, à Drummondville, le mardi 9 août 1983, et je recourai alors au service de monsieur X dans le but de tester ses facultés PSI. Ce travail a été initialement effectué sous hypnose, mais nous avons très rapidement constaté que monsieur X pouvait très bien nous fournir, à distance et au téléphone, des informations pertinentes sans être placé dans cet état particulier de sommeil artificiel.

Tout un chapitre de cette extraordinaire investigation se retrouve dans mon premier ouvrage intitulé *Contact 158,* éditions Louise Courteau, 1984.

Notre *détective psychique* nous avait bien indiqué que le corps de la jeune fille se trouvait à moins de sept kilomètres du lieu de sa disparition. Nous avons obtenu cette information après avoir placé notre homme sous hypnose. La technique proposée par les jumeaux Yvan et Yvon Gagnon, hypnologues de Beauport, en banlieue de Québec, consistait à reproduire les mécanismes du somnambulisme. Je ne suis toujours pas convaincu de son efficacité, mais selon l'hypothèse avancée par les hypnologues, un somnambule réussirait à se déplacer dans une pièce, les yeux fermés, sans se cogner sur les objets parce que son *esprit* téléguiderait son corps alors qu'il ne l'habiterait plus. Cette technique serait apparentée au voyage astral. Bon... enfin!

Toujours est-il que le mercredi 17 août 1983, à 23 h 38, soit huit jours après la disparition de la fillette de six ans, monsieur X fut placé dans un état second, nommé *ondes alpha*. Par suggestions hypnotiques, les Gagnon l'invitèrent à se transporter, en *pensée*, sur le site où campait la famille Decamps, dans le parc des Voltigeurs de Drummondville.

Voici un extrait de la séance d'hypnose enregistrée et conservée dans mes archives. J'analyserai ensuite les informations fournies par monsieur X et celles détenues par l'agent Guy Ménard de la Sûreté du Québec. Les recoupements, on le verra, sont quelquefois surprenants. J'ai volontairement évité de retranscrire certaines informations inutiles ici afin d'alléger le texte, et de me concentrer sur l'essentiel des propos tenus par monsieur X.

(YG pour Yvan Gagnon, et MX pour Monsieur X)

YG: Nous sommes maintenant le mardi 9 août 1983 au parc des Voltigeurs, à Drummondville, près du lot 241. Il est midi dix maintenant, et tu vas nous expliquer ce que tu vois...

MX: Je vois la mère de Mélanie, cheveux longs et elle porte des lunettes. Elle doit peser environ 145 livres et mesurer 5 pieds et 7 pouces. La famille s'adonne au camping, et Mélanie est en train de se balancer.

YG: Est-elle seule à se balancer?

MX: Oui. Elle regarde des gens passer devant elle, mais personne ne s'arrête. Il n'y a pas d'enfants qui jouent avec elle.

YG: Est-ce que tu vois une piscine près de l'endroit où Mélanie se trouve?

MX: Non, je n'en vois pas présentement.

YG: Quelle heure est-il?

MX: Il est midi six.

YG: Mais comment fais-tu pour savoir l'heure?

MX: Il est midi six.

Il a répondu très calmement à la question en insistant lourdement sur les mots sans toutefois nous fournir plus de renseignements.

YG: Combien y a-t-il de places dans cette balançoire?

MX: J'en vois clairement quatre.

Très exactement, il y avait bien quatre petites planchettes reliées par des chaînes.

YG: Est-elle encore seule?

MX: Il arrive!

YG: Il arrive? Qui arrive?

MX: L'individu.

YG: Comment est-il? Il porte quel genre de vêtements?

MX: Pantalon foncé... il a aussi des espadrilles bleu et jaune, pas très neuves.

YG: Comment est-il arrivé?

MX: En marchant. Il n'a pas d'automobile... il est venu ici avec un genre de mobylette.

YG: Précise-moi davantage sa tenue vestimentaire.

MX: Ben... ses pantalons... ce sont des jeans défraîchis.

Monsieur X demeure alors muet pendant environ une dizaine de secondes, comme s'il tentait de mieux observer afin de remarquer le plus de détails possible.

YG: Porte-t-il un gilet à col roulé?

MX: Non, il porte plutôt un veston en jeans, comme ses pantalons et son allure est négligée.

YG: Décris-moi le type.

MX: Il a les cheveux foncés, couleur brune, mais je ne vois pas très bien...

YG: Très bien, merci. Y a-t-il des écussons ou encore des *patchs* sur son veston, aux coudes par exemple?

MX: Non rien de ça. Je crois qu'il doit chausser des 8, 81/2.

YG: Maintenant, tu vas te rapprocher de l'individu et tu vas capter ses pensées, qu'est-ce qu'il veut de cette jeune fille?

MX: Il veut l'emmener avec lui.

YG: Pourquoi?

MX: Pour faire une promenade, il veut lui faire faire un tour de mobylette je pense.

YG: Pourquoi elle?

MX: Parce qu'il la connaît. Ce n'est pas la première fois qu'il la voit. Il semble être un habitué de l'endroit, il vient s'y promener fréquemment, car il est souvent seul. Comme l'endroit grouille d'activités, et qu'il y a toujours beaucoup de monde, il y vient pour oublier sa solitude.

YG: Est-ce que selon toi, les parents de Mélanie connaissent l'individu?

MX: Non.

YG: Ils ne l'ont jamais vu en compagnie de leur fille?

MX: Non.

YG: Quelle taille fait-il?

MX: Je dirais environ 5 pieds et 6 pouces, il est frêle, petit.

YG: Il te semble vieux?

MX: Non. Il est assez jeune, 20… 18 à 20 ans.

YG: Âge mental?

MX: 12 ou 13 ans… par moments.

YG: Combien fait son poids?

MX: Pas plus de 160 livres.

YG: Est-ce qu'ils se promènent maintenant?

MX: Ils sont assis.

YG: Est-ce qu'il se balance lui aussi?

MX: Non, il est assis sur un banc, comme un banc de parc.

YG: De quoi parlent-ils?

MX: Je ne peux saisir ce qu'ils se disent… Je ne veux pas, je ne veux pas trop m'approcher…

À ce moment-là, monsieur X montre des signes de peur, il ne veut pas et ne souhaite pas être vu par l'agresseur, et sous hypnose, tout son corps est en réaction. Il tremble un peu. Il mentionnera à l'hypnologue Gagnon qu'il craint que l'individu le voie comme s'il s'y trouvait vraiment! Une commande lui sera alors donnée par Gagnon pour qu'il passe en mode stealth *ou si vous préférez, en mode* invisible, *je blague un peu, mais l'opération visait surtout à l'assurer qu'il pouvait tout faire, sans contrainte afin de nous fournir un maximum de détails pour la poursuite de notre enquête.*

YG: Maintenant, dis-nous, quelle heure est-il?

MX: Midi quinze. Là, il l'emmène en lui tenant la main, ils marchent...

YG: Comment se nomme le type?

MX: Il pourrait s'appeler Denis. Mais je ne suis pas certain, il me semble avoir entendu Denis... Je ne peux pas bien entendre parce que je suis trop loin.

YG: Très bien, continue de nous dire ce que tu captes.

MX: Là, ils marchent en direction de la sortie du parc.

YG: Qu'est-ce qu'ils se disent?

MX: Il lui propose une randonnée avec sa mobylette.

YG: Elle est de quelle couleur?

MX: Noire.

YG: Elle est noire?

MX: Non, bleu foncé.

YG: Décris-moi la sortie.

MX: Il y a une barrière.

YG: Ok!

MX: Je vois une porte d'arche on dirait. Je vois des poteaux de chaque côté.

YG: Ah! Ok!

MX: La mobylette est là, juste à droite de la sortie.

YG: Vois-tu des bâtiments?

MX: Bon, il y a des terrains, à droite, il y a des bâtisses.

YG: Elles servent à quoi selon toi?

MX: Je ne sais que trop, comme des remises, il y a aussi une maisonnette.

YG: Maintenant, je voudrais que tu me décrives la tenue vestimentaire de Mélanie.

MX: Pantalon rouge... bas rouges, espadrilles? Non, pas des espadrilles mais plutôt des souliers! Ils sont *(hésitation)* bleus. Un chandail...

À ce moment-là, l'hypnologue interrompt monsieur X et il lui donne une commande de nature à avancer dans le temps afin de fournir les détails touchant l'enlèvement. Gagnon spécifiera à monsieur X de nous dire le chemin qu'ils ont emprunté, où elle se trouve dans le présent – à l'époque, précisons-le, elle était encore supposément vivante et tous la recherchaient –, que fait-elle et comment nous pourrions la retrouver, etc.

MX: Ils prennent la mobylette. Le gars lui indique qu'ils reviendront rapidement au parc. Ça va, ils sont toujours sur le chemin. Mélanie est assise sur les poignées de la mobylette...

YG: Lorsqu'ils sont sortis du parc, ont-ils tourné à gauche ou à droite?

MX: À gauche!

YG: Sont-ils passés en-dessous du viaduc?

MX: Oui. Et là ils s'engagent dans le bois. Ils empruntent un sentier, une *trail.*

YG: Et là, qu'est-ce qui arrive?

MX: Mélanie veut retourner au camping. Lui, il ne veut pas. Ils se disputent. Il lui dit de rester tranquille. Elle veut descendre *(de la mobylette).* Il s'arrête.

YG: Où?

MX: Dans le sentier.

YG: Pschchchchch... *(Signal donné par l'hypnologue Gagnon pour que cesse l'arrivage d'images dans l'esprit de l'hypnotisé. Cela sert aussi à installer le calme en lui.)* Tu vas maintenant retourner au parc, et à vol d'oiseau, tu vas m'expliquer et me décrire ce chemin qu'ils ont emprunté pour se rendre au sentier en forêt. Au compte de trois, tout sera clair, net et précis. Je compte 1, 2 et 3 *(claquement de doigts).*

MX: À la sortie du parc, il faut passer sous le viaduc et là il n'y a qu'à suivre le chemin jusqu'au bois de l'autre côté du viaduc. La *trail* s'y trouve.

YG: De l'autre côté du viaduc?

MX: Oui! Il y a un fossé, mais il est possible de le traverser sans trop de difficulté.

YG: Combien de minutes faut-il pour se rendre du parc à cette *trail*?

MX: Je dirais de quatre à cinq minutes.

YG: En mobylette?

MX: De chez lui, il faut compter une demi-heure.

YG: Une demi-heure? C'est où ça chez lui?

MX: En arrière du bois.

YG: Que font-ils maintenant?

MX: Ils continuent mais comme Mélanie veut vraiment descendre, il perd patience et là il lui fait mal. Il lui fait très mal.

YG: Où lui fait-il mal, quelle partie du corps?

MX: À la gorge. Il la serre assez fort.

YG: Avec quel bras?

MX: Le bras droit. *(En effet, Déry est droitier tel que nous l'avons appris au moment du procès.)* Mélanie pleure.

YG: S'il l'a serrée comme ça, est-ce parce qu'elle voulait s'enfuir?

MX: Non! Il lui fait cela tout en roulant sur sa mobylette.

YG: Maintenant, que se passe-t-il?

MX: Ah!

Forte réaction physiologique sur le lit, le corps de monsieur X présente des gestes de répugnance.

MX: Il l'a frappée et elle perd conscience.

YG: Elle s'est évanouie à cause des coups?

MX: Il l'a étouffée.

YG: Il l'a étouffée?

MX: Il l'a touchée.

YG: À quel endroit?

MX: Au niveau des pectoraux; au pubis aussi.

YG: Avec ses mains?

MX: Oui.

YG: Avec sa bouche?

MX: Non.

YG: Est-ce qu'il a tenté de la violer?

MX: Non.

YG: Que se passe-t-il?

MX: Elle se réveille. L'écœurant! *(Mots inaudibles sur la cassette.)*

YG: Il l'a quoi?

MX: Il l'a tuée! Il vient de lui frapper la tête avec une pierre.

YG: Quoi?

MX: Elle saigne beaucoup.

YG: Combien de coups lui a-t-il administrés?

MX: Ah! Plusieurs! *(Autre série de mots incompréhensibles. On dirait qu'il s'adresse directement au kidnappeur, et il marmonne des insultes à son égard comme s'il l'invitait à lâcher la jeune fille, et à s'en prendre plutôt à lui, monsieur X.)*

MX: Maudit salaud! Il remonte sur sa mobylette. Il la tient pour ne pas qu'elle tombe. Ils sont toujours sur le petit chemin de terre. Il roule vers sa maison en tenant la petite sur ses genoux. Son bassin est appuyé sur ses genoux, et sa tête pend vers le sol. Je vois du sang! Ah! Il y a du sang sur la mobylette *(monsieur X, dégoûté, s'arrête quelques secondes avant de poursuivre)*. Ses vêtements *(au kidnappeur)* sont tachés de sang aussi.

YG: Où est-ce chez lui?

MX: Je dirais pas très loin du parc, au maximum trois ou quatre milles.

YG: Maintenant qu'est-ce qui arrive?

MX: Il s'en va chez lui. Il est toujours sur sa mobylette avec la fillette. Il entre chez lui, je le vois regarder dehors au travers les fenêtres.

YG: Décris-moi sa maison.

MX: Une maison assez vieille, pas très entretenue, blanche sale voyez-vous?

YG: Combien d'étages?

MX: Deux étages. Il y a aussi un grand balcon au premier niveau. La façade doit faire 50 pieds au moins. Puis il y a une petite cabane derrière la maison. C'est là qu'il va déposer le corps de Mélanie, pour le cacher.

YG: Pourquoi fait-il ça?

MX: Il a perdu la tête. Il essuie sa mobylette, puis il s'essuie.

YG: Pourquoi?

MX: Il y a du sang

YG: Que fait-il d'autre?

MX: Il me regarde (!)

YG: À quoi pense-t-il?

MX: Il pleure en me regardant. Il a du regret. Il part là, avec sa mobylette.

YG: Peux-tu nous la décrire?

MX: Pas un modèle récent, mais je vois comme deux petits moteurs de chaque côté de la roue avant. C'est un peu dépassé! Je ne vois pas s'il y a un système de suspension.

YG: Vois-tu la plaque minéralogique?

MX: Non. Il n'y en n'a pas.

YG: Quelle heure est-il là?

MX: Une heure dix.

YG: Il a tué la jeune fille vers quelle heure selon toi?

MX: Une heure moins le quart.

YG: Quel jour?

MX: Le même, le 9 août 1983.

Ici, l'hypnologue repose les mêmes questions à monsieur X afin de s'assurer qu'il ne change pas de version.

Je retire donc un assez long extrait de son témoignage sur cassette afin, comme je l'ai indiqué plus haut, d'alléger le contenu.

Puis, il lance une *commande* à monsieur X devant conduire à son *réveil* temporaire – c'est-à-dire qu'il garde les yeux ouverts mais demeure sous hypnose – afin qu'il nous montre le trajet emprunté par l'agresseur et sa victime, en utilisant une carte topographique des lieux.

À la surprise générale, le tracé s'arrête effectivement dans un boisé où passe un petit chemin de terre (les cartes militaires à grande échelle le montrent). Cependant, nous demeurions sceptiques sur le degré de précision que cet homme pouvait atteindre, car il ne connaissait pas le secteur. Nous avons donc *interprété* le trajet à notre manière, et entrepris nos recherches en fonction des connaissances que nous avions du site, sans trop nous soucier des détails fournis. Ce n'est qu'après les événements, ceux des circonstances entourant la découverte du corps de Mélanie Decamps, que nous avons alors pu constater combien monsieur X avait été juste et précis dans ses *visions à distance*.

Et je n'en rajoute pas. Avec le temps, je suis devenu moins rêveur, plus pragmatique et strict à la fois. Répéter cette expérience aujourd'hui nous aurait conduit à un tout autre résultat!

La séance s'est ensuite poursuivie sur des aspects techniques touchant la cabane sous laquelle le corps de la fillette devait se trouver.

Nous avons effectivement constaté que le trajet dessiné par monsieur X et celui supposé par les policiers chargés de l'enquête différaient. Toutefois, un fait demeure: monsieur X fut le seul *voyant* parmi tous ceux qui ont fourni des informations aux policiers concernant l'endroit où se trouvait le corps, à avoir été juste. Il a toujours tenu le même discours en insistant sur le fait que ce corps allait être découvert non pas en Afrique, ou encore dans les

Rocheuses canadiennes, ou entre les mains d'un groupe exploitant les jeunes filles au profit d'un vaste réseau de prostitution, mais bien dans un rayon de sept kilomètres de l'endroit où campait la famille Decamps dans le parc des Voltigeurs de Drummondville.

Nous aurions dû tracer un cercle d'un rayon de sept kilomètres, et le faire dès le début, pour ensuite nous concentrer exclusivement sur les petits chemins de terre accessibles (par mobylette), et nous aurions alors découvert rapidement le corps. Cela aurait sans doute contribué à alléger les souffrances des parents qui vivaient dans une inquiétude monstre, on le devinera, face à la situation.

Comme je vous le mentionnais plus haut, mon poste d'animateur et de journaliste à CHRD-1480 MA me conduisit à couvrir le procès de l'agresseur de Mélanie Decamps: Michel Déry. Le procès eut lieu durant l'été de 1984 au palais de justice de Drummondville. Tous les médias du Québec s'y trouvaient.

Mon travail consistait à produire deux textes par jour, un pour le bulletin général du midi, et un autre pour celui de 17 h. Ce procès se déroula devant juge et jurés et perdura deux semaines complètes. Chaque jour, je résumais le déroulement du procès sur les ondes de la station radiophonique CKAC-730 MA, à Montréal, station avec laquelle nous étions affiliés (réseau Télémédia, cette année-là). J'ai aussi produit plusieurs topos (reportages dans notre jargon de journalistes) pour la station radiophonique CJMS 1280 MA où Gilles Proulx (animateur-vedette) suivait l'affaire pour son émission *Le Journal du midi.*

Michel Déry habitait à Drummondville, à moins de quatre milles du parc des Voltigeurs. Dans la vingtaine, il avait pourtant un âge mental qui oscillait aux alentours des 12-13 ans. Monsieur X ne s'était donc pas trompé sur ce plan.

Il n'a jamais voulu faire souffrir la petite Mélanie, selon ses dires au procès. Il voulait s'amuser avec une amie, selon son avocat.

Suivant les nouvelles comme tout le monde, et voyant l'ampleur de la situation, il semble que Déry, pris de panique, aurait entrepris de ramener la jeune fille sur sa bicyclette (et non pas avec sa mobylette) au parc des Voltigeurs. Voyant les policiers présents partout, il n'alla pas au parc. Il aurait emprunté le chemin Hemming qui longe la rivière Saint-François à Drummondville, pour passer sous le pont métallique du chemin de fer de la compagnie *Canadien Pacific* (et non un viaduc); la coïncidence reste toutefois frappante. Plus loin, à 6,43 kilomètres de l'endroit où campaient les Decamps, il aurait fait descendre la fillette pour l'attacher à un arbre, le temps de s'enfuir avant qu'elle ne réussisse à se défaire de ses liens. Il ne faut pas oublier que Déry voyait toujours beaucoup de policiers en forêt, sur les routes, aux intersections, etc. Il lui fallait faire vite pour ne pas se faire attraper, avouera-t-il au procès par la voix de son avocat.

Puis, arrivé au petit chemin de terre, une *trail* dans le jargon des amateurs de VTT (véhicule tout terrain), il s'avança pour finalement attacher sa jeune victime à un arbre. Dans son esprit, il croyait qu'elle réussirait à se défaire de ses liens en quelques minutes, et qu'il aurait suffisamment de temps pour déguerpir avant que les policiers ne s'amènent. Ce ne fut pas le cas pour la victime, malheureusement.

La fillette devait périr à cause du bas que Déry avait utilisé pour la bâillonner. Il ne voulait pas qu'elle crie et fournisse ainsi un indice sur sa position avant le départ de l'agresseur. Elle mourut d'une très lente suffocation (durant la nuit sans doute) selon le rapport d'autopsie. Fait assez révélateur sur les intentions réelles du kidnappeur, une photographie du cadavre montre bien que le bas placé sur la bouche de la jeune victime est attaché en formant, derrière sa nuque, une boucle! Comme le dira l'avocat de la défense au moment de sa plaidoirie, lorsqu'un vrai tueur veut en finir avec sa victime, il ne prend pas le temps de faire des petites boucles, il fait un nœud solide et puis il s'en va! Cette simple phrase basée sur un sens aigu de l'observation de la part du procureur de la défense, aura pour effet d'éviter la prison à vie à Michel Déry. Toutefois, il sera conduit à l'Institut Pinel où il y suivra une thérapie devant le conduire à une possible réinsertion sociale. Malgré le verdict, il n'échappera pas à la dure réalité carcérale: un autre détenu lui fracassera un bras en guise de représailles pour s'être attaqué à une enfant; ça c'est la loi du milieu.

Il ne l'aurait pas frappée à la tête avec une pierre, toujours selon l'expert médico-légal venu témoigner pour la poursuite, bien qu'il insistât sur son incapacité à fournir avec précision les causes du décès, étant donné l'état de décomposition très avancé du corps. Mais nous ne le saurons donc jamais avec précision.

Le plus étonnant est que le procès laissa planer un doute sur les circonstances de la mort de Mélanie Decamps. Le pathologiste insista sur son incapacité d'identifier formellement la cause du décès en raison de la décomposition trop avancée du corps, puis il fit remonter la mort de Mélanie à quelques jours seulement avant la découverte. Étonnant? Les photographies du cadavre et les copies des rapports de police, du pathologiste et de tous les experts venus témoigner au procès sont en ma possession. Ces documents m'étaient nécessaires pour effectuer les recoupements avec les informations fournies par monsieur X.

Monsieur X affirma que Mélanie était morte le jour même de son enlèvement, cette déclaration contredit celle du pathologiste. Toutefois, il est important de noter qu'au cours du procès, il fut clairement mentionné que Déry, après avoir ligoté sa victime à un arbre, et être parti pour rentrer chez lui, aurait participé aux recherches afin de localiser la jeune fille. Il aurait même avoué aux policiers l'avoir vu çà et là, mais il n'était plus en mesure de se rappeler de l'endroit exact où il l'avait abandonnée. Cela est clairement mentionné sur la cassette du témoignage livré par Déry aux policiers, le jour de son arrestation. Je possède la transcription intégrale du témoignage de Déry, et cela permet de constater à quel point l'individu ne possédait pas toute sa tête. Il s'exprime très maladroitement, son langage est mal articulé, dans un français plutôt exécrable. Il s'exprime comme un attardé.

Bref, il m'apparaît que le décès se soit produit beaucoup plus tôt que *les quelques jours* proposés par le pathologiste, surtout si l'on se fie aux photographies: la jeune fille était méconnaissable. Tout le corps est noir, gonflé par les gaz et rempli d'asticots d'une longueur d'au moins un centimètre! La chaleur du mois d'août 1983 aurait donc fortement contribué au processus de décomposition. Mais il aurait fallu environ une semaine pour que la nature produise un tel résultat. Ces constatations suggèrent donc que Déry aurait passé plus de temps avec Mélanie. Monsieur X et le pathologiste se sont trompés quant à l'évaluation précise de la date du décès.

En ce qui concerne les détails vestimentaires de l'agresseur et de la victime, ils sont conformes aux descriptions fournies par monsieur X.

Lors du procès, les policiers venus témoigner ont précisé que les chiens pisteurs perdirent la trace de la fillette. Cela confirme alors que ses pieds cessèrent de toucher le sol, ce qui suggère qu'elle soit montée à bord d'un quelconque *véhicule*. Déry ne conduit pas d'automobile, il ne possédait pas de permis de conduire au moment des événements et n'en possède pas encore. Elle a donc monté sur son vélo.

La résidence de Déry est située près de la voie ferrée, à Drummondville, elle est blanche, mal entretenue, et il y habitait comme locataire non comme propriétaire. Grande, deux étages, avec une galerie immense sur la façade, ces détails concordent en tous points avec les informations fournies par monsieur X.

Il ne faut surtout pas oublier cette affirmation, qui selon moi, changea tout dans cette histoire: monsieur X était le seul à tenir bon lorsqu'il affirma que le corps de Mélanie allait être découvert dans un rayon de sept kilomètres de l'endroit où elle campait. Que son dessin soit erroné, je peux le comprendre: il a travaillé sur une carte, à distance, sans connaître les lieux, et surtout sans trop être au courant de l'affaire. Les policiers étaient peu bavards au début de leurs investigations.

Les renseignements de monsieur X nous semblaient erronés, car tout le secteur avait été passé au peigne fin par les enquêteurs chargés du dossier, et à cette époque, plus de 3 000 bénévoles avaient soutenu le travail de ces derniers afin de localiser la jeune enfant, en vain. Nous croyions improbable que la fillette, originaire de Longueuil, puisse se trouver si près de l'endroit de sa disparition. Ce fut pourtant le cas!

Autre coïncidence sans doute, les recherches furent stoppées après une semaine d'efforts. Lorsque j'avisai mon contact à la SQ, l'agent Guy Ménard, des révélations de monsieur X, les recherches reprirent dès le lendemain matin. Cela s'est produit de trois ou quatre jours *avant* la découverte du cadavre de la jeune Decamps.

Ce n'est pas notre équipe qui découvrit le corps de la jeune fille le dimanche 21 août 1983 à 19 h 45. Ce sont des jeunes qui faisaient de la moto en forêt. L'odeur de putréfaction attira leur attention.

Toute cette extraordinaire aventure, malgré son aspect sordide, nous aura marqué au fer rouge, mais de manière positive. J'ai personnellement beaucoup appris sur l'hypnose. Ma grand-mère m'avait déjà tout enseigné sur le sujet, du moins, elle m'avait suffisamment fourni d'informations pour que je puisse m'en servir. Mais mon jeune âge m'empêchait d'appliquer le doute méthodique, à la manière de René Descartes.

Avec l'âge, l'expérience aidant, je crois avoir percé d'autres énigmes relativement à cette technique très critiquée. Elle demeure efficace, selon moi, dans une certaine mesure. Il faut éviter de trop questionner l'hypnotisé. Il vaut mieux le laisser parler, en respectant *son* rythme, *son* tempérament. Je ne critique pas les gens pour les erreurs qu'ils commettent, mais je les oblige à vivre avec les conséquences de celles-ci. Je tiens à préciser que je ne m'attarderai pas à critiquer l'hypnologue, après tout, nous avons tous le droit à l'erreur, et chacun apprend des erreurs qu'il commet. Il est normal d'en faire. Mais lorsque la gomme à effacer s'use plus vite que le crayon, alors là, il y a exagération!

J'insiste! Je ne tente pas de faire un long plaidoyer pour justifier les erreurs de l'hypnologue, ou encore les fautes commises par monsieur X ou par moi. Je tenais, dans ce chapitre sur les *détectives psychiques*, à présenter les faits. Des faits vérifiés sur le terrain. Une nouvelle approche de la voyance a été testée et je crois qu'au Québec, c'était un précédent, à l'époque.

La collaboration policière, bien que pas complètement entière, fut assez intéressante. L'agent aux relations publiques m'a toujours écouté. En aucune occasion, il a profité de certaines assertions émises par monsieur X, et que je lui transmettais, pour se moquer de lui.

Ce policier est demeuré honnête, à l'écoute, malgré que des dizaines de voyants lui téléphonaient pour *faire avancer l'enquête.* Inutile de vous dire que la plupart du temps, ces informations se révélèrent ou inutilisables, ou carrément non fondées, voire loufoques. Ainsi, l'agent Ménard aurait tout aussi bien pu m'envoyer paître. Mais il ne le fit pas. Ce que je regrette toutefois, c'est qu'une véritable collaboration aurait sans doute permis à monsieur X de fournir encore plus de détails et avec plus de précision. Si nous avions moins cherché à interpréter ses propos, peut-être aurions-nous réussi à découvrir, les premiers, la petite Mélanie Decamps.

Je suis toujours en contact avec monsieur X. Récemment, il m'avouait que l'hypnose n'était absolument pas utile dans son cas, et qu'il pouvait très bien fournir des informations sur des sujets identiques, si on le laissait travailler à *sa* manière et à *son* rythme. Ces mots reviennent fréquemment dans sa bouche. Et pas seulement dans la sienne d'ailleurs. La plupart des voyants ou détectives psychiques pensent comme lui. Le problème est qu'à trop vouloir presser le citron, on laisse toute la place aux erreurs d'interprétation.

Le dossier Maurice Viens

Une année plus tard, monsieur X sera à l'œuvre dans l'affaire de l'enlèvement du jeune Maurice Viens, 4 ans, alors porté disparu quelques jours avant que notre *détective psychique* soit de nouveau placé sous hypnose, le 5 novembre 1984 à 22 h 45.

Grâce aux informations qu'il fournit à l'hypnologue Yvan Gagnon de Beauport, à sa copine et à l'agent de la SQ, en congé, Steve Lynch, le trio découvrit, dans une maison abandonnée, le corps du jeune garçon. C'était le 6 novembre à 15 h 05. Je ne veux pas m'étendre davantage sur cette histoire puisque toutes les informations entourant le travail de monsieur X et du trio sont rapportées dans mon ouvrage *Les médias cachent la réalité OVNI au public*, publié en 1996 aux éditions du Collège Invisible. De toute façon, la technique utilisée dans le dossier de Mélanie Decamps fut appliquée dans celui de Maurice Viens. Vous devez sans doute vous demander quel est le lien entre les ovnis, monsieur X et ces histoires d'enquêtes touchant des enfants portés disparus?

Pour résumer, disons que mon premier ouvrage, *Contact 158,* raconte l'aventure de monsieur X qui fut *enlevé* par un ovni sur la route 158, entre Lachute et Saint-Jérôme, dans la nuit du 24 au 25 novembre 1979. La technique de l'hypnose fut utilisée parce que notre témoin, qui avait vécu un important traumatisme on le comprendra, avait basculé l'information touchant son expérience du troisième type avec un ovni dans son inconscient. Il nous fallait donc ramener cette information sur le plan du conscient, en utilisant l'hypnose.

Dans mon deuxième ouvrage, un chapitre a été consacré à monsieur X à la suite des réactions suscitées par le premier. Mes lecteurs me demandaient sans arrêt ce que devenait l'homme, comment vivait-il désormais, et si d'autres phénomènes l'avait frappé depuis. La réponse est non. Je parle des ovnis bien évidemment. À la suite de cette traumatisante aventure d'enlèvement par un ovni où l'hypnose aura permis de reconstituer les événements manquants dans sa mémoire (environ 110 minutes), des dons psychiques se manifestèrent chez monsieur X. Pour les mesurer, et surtout pour les vérifier, il fut invité à s'investir dans les dossiers de Mélanie Decamps et de Maurice Viens. Voilà pour le lien! Toutefois, une chose importante demeure. Je m'étais engagé auprès de monsieur X à lui conserver l'anonymat en tout temps, et peu importent les circonstances. Les policiers ont cuisiné de manière plutôt serrée à la fois, l'hypnothérapeute, sa conjointe et l'agent Lynch, parce qu'ils croyaient que monsieur X pouvait être impliqué dans l'assassinat du jeune Viens.

Monsieur X n'apprécia guère de voir arriver en trombe sur les lieux de son travail deux véhicules de la SQ, et des policiers mandatés pour le cueillir afin de l'interroger. Là, il n'était plus du tout anonyme! Je n'étais pas engagé dans cette deuxième expérience, et je le regrette. Yvan Gagnon décida de son propre chef, sans m'en informer, d'aller de l'avant dans l'aventure. Assez maladroitement, je l'avoue, le trio n'a absolument pas travaillé selon le protocole, et toutes leurs actions n'auront servi qu'à générer de la confusion.

La science de l'utilisation de *détectives psychiques* n'aura pas avancé d'un pouce cette journée-là. C'est malheureux, car une promesse a été rompue, la confiance qu'avait monsieur X envers les hypnologues a fondu comme neige au soleil, et ce travail conduit en aveugle n'aura fait que du tort, à tous.

Les policiers ont donc isolé notre monsieur X dans une petite salle pour interrogatoire, et ont demandé au psilogue de l'Université de Montréal, monsieur Louis Bélanger, *d'évaluer* notre individu pour découvrir s'il disait la vérité ou non et s'il possédait vraiment des dons psychiques. Cette rencontre aurait duré environ deux heures selon ce que monsieur X m'en a révélé. Les conclusions du psilogue furent, semble-t-il, que monsieur X était un homme *normal*, que ses facultés pouvaient peut-être s'expliquer par le fait qu'il était père d'une fillette du même âge que le jeune Viens. Le fait d'être émotivement lié à sa fille et de penser quelques secondes que celle-ci ait pu subir le même sort que le jeune Viens, aurait donc été suffisant pour déclencher des *visions*; il n'était donc plus suspecté dans cette affaire!

Une seule interrogation majeure me hante encore l'esprit: l'intervention du psilogue Bélanger a-t-elle servi à *confirmer officiellement* les dons psychiques de monsieur X? Si c'est le cas, et connaissant le scepticisme aigu du professeur de l'Université de Montréal en matière de parapsychologie (pour lui, l'au-delà n'existe pas, et l'ensemble des phénomènes paranormaux doivent être réduits à l'action pure et simple de l'inconscient), il a dû trouver cette expérience, hormis la confirmation de sa thèse, un peu pénible.

De toute façon, il subsiste un indice intéressant: les policiers ont conclu que monsieur X ne devait pas être un menteur, du moins, comme ils l'avaient cru au départ. Mais les policiers de la SQ conservaient une carte dans leur jeu...

Quelque temps plus tard, monsieur X sera *invité* (avait-il le choix?) à fournir des informations touchant *la tuerie de Lennoxville*, ainsi appelée à la suite de la purge effectuée par la bande de motards criminalisée les Hell's Angels de Sorel. Ceux-ci s'étaient rendus à leur chapitre de l'Estrie afin d'éliminer quelques membres devenus indésirables. Le problème était que les policiers chargés de l'enquête ne réussissaient pas à trouver les cadavres de cette élimination en règle. Si les corps pouvaient être retrouvés, des accusations pourraient être portées.

Monsieur X leur dit que les corps se trouvaient sans doute dans le fleuve Saint-Laurent, à la hauteur de Sorel. Il ajouta même qu'un de ces corps allait sous peu remonter à la surface parce qu'il développerait une réaction gazeuse plutôt forte due à sa corpulence. C'est exactement ce qui se produisit.

Les policiers firent miroiter des sommes importantes à notre voyant, s'il acceptait de les aider pour d'autres dossiers qui n'avançaient plus. Inutile de vous dire qu'il n'a jamais vu la couleur de cet argent.

Il sortit de cette aventure plutôt amer. Il m'avoua, quelques années plus tard, à froid, ne pas conserver un très bon souvenir de son intervention avec les policiers dans quelques dossiers sur lesquels il fut invité à réfléchir. Selon lui, les policiers ne connaissent pas la manière dont les voyants fonctionnent. Ils exercent trop de pression sur eux, sur lui.

Lorsque l'on intervient trop dans le processus d'acquisition de données auquel un voyant semble habitué, des erreurs se produisent. Monsieur X croit aujourd'hui que si ces policiers l'avaient respecté davantage, s'ils avaient pris la peine de mieux saisir le processus par lequel il devait passer pour obtenir ces informations, ses résultats auraient été supérieurs. Cela revient donc à dire que la peur et les préjugés entretenus par les limiers jouèrent, sans doute, un rôle prépondérant dans l'action psychique de notre homme.

Au moment de mettre cet ouvrage sous presse, j'ai tenté un rapprochement avec un policier de la SQ (dont je tairai le nom) afin de lui demander s'il acceptait l'intervention d'un *détective psychique* dans les cas non résolus touchant les dossiers du triple meurtre de la famille Landry dans Lanaudière et de la disparition de Julie Surprenant. Laissez-moi vous dire qu'il n'était pas très chaud à l'idée. Nous sommes maintenant rendus à la fin juin, et je suis toujours sans nouvelles.

Les policiers des grands centres urbains semblent plus nerveux et sceptiques en comparaison d'autres policiers de régions éloignées. Le fait que les gens se connaissent plus dans de petites villes semblent jouer un rôle d'entraînement vers l'avant plutôt que vers l'arrière, ce qui n'est pas particulièrement le cas à Montréal, cette ville étant plus impersonnelle à cause de sa taille. Il me paraît évident que tout l'ensemble repose d'abord sur une relation de confiance.

Il ne faut pas passer sous silence le fait que beaucoup de gens bien intentionnés contactent les corps policiers pour leur fournir des informations de tous ordres: je peux comprendre que l'exaspération puisse soudain prendre la place de l'écoute active. Il existe des voyants qui se trompent plus souvent qu'autrement, des charlatans qui s'engagent dans ce type de dossiers dans le but exclusif de se faire du capital médiatique, et il y a les autres. Ce sont de ces *autres* dont je parle; les vrais.

Monsieur X a toujours agi de manière totalement altruiste, étant père lui-même et ne supportant pas l'idée d'être séparé de la sorte de sa fille bien-aimée, l'opération devenait pour lui plus aisée. Il pouvait s'imaginer dans la peau des parents affligés par ce triste coup du sort. Par ce geste psychique, des visions lui venaient. Alors, à qui les communiquer? Lorsque l'on vit pareille chose, qui, dans notre société bien-pensante, est apte à écouter et à comprendre des gens comme monsieur X? Il n'existe aucune association, organisme, professionnel de la santé ou autre qui soit en mesure de venir en aide à un voyant spécialisé dans la classe des *détectives psychiques.* On aura beau critiquer la chose de sa table de cuisine en lisant un simple article de journal trop souvent bâclé sur ce thème, rien n'y changera. Je suis allé à la source du problème. J'ai vu des personnes ordinaires possédant d'extraordinaires facultés susceptibles de donner tout un coup de pouce aux autres. J'ai même enquêté sur le terrain et passé outre à l'étape de *l'article de journal.* Par conséquent, je suis en mesure d'affirmer qu'il existe une réalité derrière tout ce phénomène.

Quand les préjugés tomberont, des dossiers qui dorment dans les filières de nos corps de police trouveront leurs réponses définitives. Il suffit de savoir s'en remettre aux vrais spécialistes, aux gens expérimentés qui ont acquis des bases solides pour traiter du problème. L'avis est donc lancé aux policiers enquêteurs. Ils ont le choix. Ils peuvent en rire et laisser pourrir leurs dossiers insolubles là où ils sont. Ils n'auront qu'à se justifier devant les familles qui attendent toujours des nouvelles de leurs disparus...

En passant, monsieur X connaît des détails très précis sur le possible agresseur du petit Viens. Selon lui, l'homme habiterait toujours Montréal, conduirait un véhicule taxi et logerait dans un immeuble qu'il peut identifier. Il aurait fourni ces informations aux policiers en 1984 au moment de son interrogatoire lorsque le corps inerte de Maurice Viens fut découvert à l'endroit précis où il l'avait décrit. Mais il semble que sa déclaration soit demeurée lettre morte...

L'IMPACT ÉCONOMIQUE

L'importance des voyants sur l'économie du Québec ne peut être quantifiée à moins de bien connaître le sujet, et par la suite de procéder à un petit exercice mathématique. Bien que conservateurs, les chiffres demeurent assez étonnants, à vous d'en juger!

Mon postulat est qu'il existe au sein de chaque famille, au moins une personne qui possède une faculté PSI ou qui offre un tel service à son entourage sur une base lucrative. Je me suis amusé à chiffrer, en dollars, cette influence économique. Évidemment, à la lecture des informations qui vont suivre, je ne m'étonnerais pas du tout que les gens du fisc commencent sérieusement à éplucher certaines déclarations de revenus de personnes qui exercent la voyance, pour voir si les revenus déclarés correspondent à leur train de vie.

Disons que la population du Québec est de 6,5 millions d'habitants. J'évalue donc le ratio à 1 individu sur 15. Je préfère demeurer plutôt conservateur malgré que mon intuition m'indique que ce nombre n'est pas exagéré autant que nous pourrions bien le croire. Disons alors 1 sur 30!

Cela nous donne un résultat de 216 667 personnes qui s'adonnent à une quelconque forme de mancie. Je disais plus haut un voyant par famille, mais il faut plutôt entendre ici une personne exerçant une forme de mancie, quelle qu'elle soit.

Toujours en demeurant très conservateur sur les chiffres, disons maintenant que seul 10 % de ce nombre se fait payer en moyenne 50 $ pour une consultation, car ces 10 % de ces gens vivent de leur don. Nous arrivons ici à 21 667 individus qui s'y adonnent. En fait, un sondage mené en 1994 par l'équipe de l'émission *ALTER EGO SPIRITUS* a permis de découvrir qu'il existait au Québec plus de 50 000 personnes qui exerceraient une mancie, de façon lucrative ou non.

Tout de même, cela représente 1 083 350 $. N'oubliez pas que nous parlons ici de façon globale, il s'agit de l'argent qui circule dans 43 334 mains de voyants pour une seule rencontre avec 21 667 consultants.

Toutefois, un voyant qui exerce à temps plein rencontre plus de 15 clients par semaine, nous devons multiplier la somme obtenue par ce même facteur (15), soit un total de 16 250 250 $ qui circulent en une semaine. Facile de conclure que puisque nous comptons 52 semaines dans une année, le chiffre d'affaires annuel s'élèverait donc à quelque chose comme 845 013 000 $! Je vous le jure, ce chiffre n'est vraiment pas exagéré!

Si nous reprenons ce raisonnement en tenant compte du résultat du sondage de 1994, qui indiquait 50 000 praticiens d'une mancie au Québec, les retombées économiques de l'action sociale des voyants de tout acabit s'élèveraient à plus de 1 950 000 000 $ annuellement! Exagéré, selon vous? Peut-être. Mais Statistique Canada ne possède aucune information de cet ordre. J'ai vérifié. Vous imaginez, ce marché serait alors tout aussi lucratif que celui de certaines drogues douces ou encore du trafic d'organes comme cela a fait la manchette début mars 2001. C'est à se demander *pourquoi* nos dirigeants n'ont pas encore cru bon de créer des lois appropriées pour contrôler davantage cette portion non négligeable de l'économie québécoise, voire du Canada? Les gens du fisc, tout comme ceux qui travaillent à Statistique Canada, n'ont aucune réponse à fournir!

La très grande majorité des voyants ne font pas de déclarations complètes de leurs revenus aux gouvernements fédéral et provincial. Supposons qu'ils dissimulent environ 46 % de ce revenu brut, les coffres du trésor sont donc amputés de la rondelette et coquette somme de 388 705 980 $ (si nous utilisons le premier compte de

21 667 voyants qui se font payer pour leurs services) ou encore de 897 000 000 $ (pour le second compte de 50 000 praticiens d'une quelconque mancie)! Ce n'est pas rien! Là-dessus, je ne vous parlerai pas des montants qui sont versés en guise de cotisation annuelle à des groupes comme l'Église de Scientologie, les Raéliens, les Mormons ou toute autre association à caractère religieux ou qui s'adonne à une forme d'aide psychologique ou de croissance personnelle. Bref, c'est plutôt de quelques milliards de dollars qu'il faudrait ici parler! Imaginez le chiffre que cela doit représenter si nous étendions l'ensemble de cette étude à l'échelle de la planète. N'importe qui en avalerait sa boule de cristal!

Et dire que de 1985 à 1997, j'ai offert une plate-forme publicitaire gratuite à des centaines, voire des milliers de ces voyants alors que j'animais les émissions *FUSION* et *ALTER EGO SPIRITUS* et qu'aucun d'eux, à deux ou trois exceptions près, ne m'a offert ne serait-ce qu'un maigre 50 $ d'encouragement! Certes, je ne le faisais pas pour ça, mais moi qui croyais que ces gens-là vivaient sous le seuil de la pauvreté, qu'ils ne mangeaient jamais trois fois par jour et qu'ils habitaient des appartements à loyers modiques! J'en connais qui habitent des maisons de 18 pièces, dont les caves sont remplies à craquer d'antiquités (d'une valeur pouvant dépasser les 100 000 $) ou d'autres qui possèdent de belles bagnoles ou des objets de collection, sans oublier que devant moi, ils ne cessaient de dire: «Ah! que la vie est difficile et que les temps sont durs!» disait ma tendre mère.

Mon professeur Claude Gagnon, de l'Université du Québec à Trois-Rivières, citait ainsi un autre grand philosophe: *«Un ventre qui a faim a besoin davantage de rêves que de pain, car celui qui a suffisance n'a rien.»*

C'est en tout cas à ce type de voyants que je ferais le plus attention. Fréquemment, ce sont eux qui représentent le talon d'Achille à la revendication d'un statut plus respectable de cette mancie.

Je connais plusieurs voyants qui demandent plus de 100 $ pour une consultation qui dure, en moyenne, une heure. Il y en a même qui vont jusqu'à 500 $ et 1 000 $ pour les augures. Au demeurant, ces gens-là ne souffriront pas de malnutrition!

Mais le fond de la question doit être exploré: gagner de l'argent avec ses facultés est-il un mal en soi? Est-il frauduleux de se faire payer pour quelque chose qui nous a été donné?

Si vous aviez le talent de frapper des circuits lors de chacune de vos apparitions au marbre, seriez-vous un charlatan d'exiger cinq millions de dollars par année (et là je n'exagère vraiment pas!) pour évoluer au sein de telle ou telle équipe de baseball? Et le hockey maintenant? Pensez à n'importe quel sport professionnel.

Un médecin fait plus de 120 000 $ par année, ce qui ne l'empêche pas de se tromper assez souvent et de nous faire attendre six heures à l'urgence pour nous dire que nous n'avons rien de grave. Insultant n'est-ce pas lorsqu'on a mal?

Tout le problème repose ici. Nous avons toujours la tendance de penser que ce qui nous est donné doit être rendu gratuitement.

Suivez-moi bien! Disons que vous êtes cette personne qui jouit de la faculté de *voir* l'avenir avec précision. Bref, la réputation relative à votre degré de précision est supérieure aux prévisions météorologiques. Tiens! (On les paie ces gens-là et pourtant il pleut toujours les week-ends où nous avions prévu une sortie.)

Êtes-vous en mesure de vous imaginer un seul instant ce que votre vie deviendrait si toute la population voulait vous consulter, gratuitement, sept jours sur sept et toute l'année? Votre vie deviendrait *infernale*. De plus, une quelconque agence du service de renseignements d'un pays X kidnapperait *illico* un de ces voyants parfaits afin de le faire travailler, à temps plein, et dans le plus grand des secrets, sur des dossiers pas très catholiques la plupart du temps. Voilà peut-être pourquoi il est bon qu'un de ces voyants n'existe pas encore sur cette planète. Nous en ferions mauvais usage.

Vous connaissez le vieux dicton qui dit: «*Si tu donnes un pouce à quelqu'un, il te demandera un pied le lendemain.*» Nous sommes comme ça. Plus, plus, plus et encore plus. Si quelqu'un agit pour conserver sa santé en dosant le nombre d'entrevues qu'il croit pouvoir subir dans une semaine et être payé pour ça, nous crions immédiatement à l'abus, à la mesquinerie, au charlatanisme, quand ce n'est pas de la fraude dont on s'indigne.

Que les groupes sceptiques s'époumonent à vouloir nous étourdir avec leurs argumentations suggérant que tout est faux, qu'est-ce que cela change?

La voyance est exercée depuis des temps immémoriaux. Elle l'est encore aujourd'hui malgré ses détracteurs. L'avenir fascine tout autant qu'avant, et il existera toujours des gens pour aller explorer *leur* avenir en utilisant l'autre à *leur* avantage.

Si je fais erreur dans mon analyse du phénomène de la voyance dans cet ouvrage, je ne me trompe pas de beaucoup sur la véritable nature des êtres humains

Nos cinq sens, nous l'avons vu, ne sont pas les seuls radars qu'utilise notre cerveau pour connaître le réel. Tout ne peut pas être *noir* ou *blanc*. Laissez donc le voyant vous colorer les tons de gris, sans oublier que l'expérience, comme le suggère Loto-Québec, n'est qu'un jeu et doit le rester.

Conclusion

Voici le moment venu de nous laisser. Il n'est jamais aisé d'écrire un ouvrage lorsque celui-ci porte sur un sujet aussi discutable que la voyance. Au risque de me répéter, j'insiste sur le fait que la voyance, en tant que faculté PSI chez les uns ou don chez les autres, ne fait pas encore l'objet d'un consensus épistémologique.

Chacun peut y aller de son hypothèse pour expliquer les mécanismes sous-jacents à cette forme populaire de mancie. La voyance ne s'enseigne évidemment pas sur les bancs d'une quelconque université, où qu'elle soit. En Allemagne, en France et aussi en Italie, des chercheurs se sont penchés sur les phénomènes de *Poltergeists* (esprits frappeurs), ou sur l'existence de la vie après la vie. Ils ont tenté de vérifier la possibilité que des voix, en provenance de cet hypothétique au-delà, puissent être enregistrées sur bandes magnétiques. Une large nomenclature des phénomènes PSI a donc été passée sous la lentille du microscope de la science dite exacte. Les résultats, les scientifiques purs et durs vous le diront, n'ont pas été à la hauteur des attentes. Conséquence: les phénomènes paranormaux n'ont pas d'origines paranormales, ils sont psychosomatiques. Et puis après?

Ma grand-mère maternelle m'a raconté que, un soir d'hiver de 1947, elle vit sa sœur marcher dans la tempête qui faisait rage. Son mari, mon grand-père, ma mère et mon père furent témoins lorsqu'elle demanda qu'on ouvre la porte au plus vite. On entendit frapper. Mon grand-père s'avança et ouvrit. La neige entra avec force dans la maison sise boulevard Jean-de-Brébeuf à Drummondville. Personne! Tous remarquèrent pourtant des empreintes de pas dans la neige. Aucune trace de la sœur de ma grand-mère. Que s'était-il donc produit? La nuit passa.

Le lendemain matin, un télégramme arriva. On pouvait lire ceci: «Message important stop. Provenance hôpital Notre-Dame stop. Votre sœur décédée nuit d'hier stop. Prenez contact avec nous stop. Sincères condoléances stop.»

Hallucination collective? Personne dans la maison n'aborda de sujets touchant le paranormal cette nuit-là, et ma grand-mère n'était pas en train de *tirer les cartes* à quelqu'un. Il n'y aurait pas de faits réels derrière l'apparence des choses dites insolites? Des exemples comme celui-là, j'en possède des centaines dans mes classeurs. Assez pour ébranler les plus sceptiques.

On pourrait toujours rejeter du revers de la main la totalité de ces cas repertoriés, car après tout, il ne s'agit que de simples témoignages. Il n'y a pas de preuves concrètes, au sens où l'entend la science. Ou bien on admet que certains phénomènes nous échappent encore, ou bien on s'installe confortablement dans l'ignorance de ces faits et l'on s'attarde plutôt à conserver sa tranquillité d'esprit en les qualifiant de balivernes de bonnes femmes trop crédules.

Une seule chose demeure absolue: celui qui vit l'expérience sait au fond de lui-même qu'il existe une zone sombre, inexplorée, qui cherche à nous attirer vers elle en produisant des effets, on ne sait pas encore pour quels motifs précis, mais qui nous oblige à élargir notre conscience des choses.

Le trait dominant du phénomène de la voyance demeure l'émotion. Nous possédons cinq sens. Du moins, c'est ce que l'on nous a appris. Mais que fait-on du sens de l'équilibre? Que fait-on du sens des affaires? Comment expliquer que ma propre mère ait deviné, en 1972, que j'allais gravement me blesser au pied droit quatre heures avant que cela ne m'arrive? Je me rendais à la plage avec ma sœur Ginette et son époux, Raymond, et j'étais assis sur la banquette arrière avec mon neveu Alain, qui avait un an de moins que moi seulement. Raymond conduisait fièrement sa *Thunderbird 1964*, un beau modèle. Puis, à mi-trajet, le radiateur laissa échapper de la vapeur. Mauvais signe! Nous fûmes contraints de stopper l'automobile sur le bas-côté de l'autoroute transcanadienne, aujourd'hui autoroute Jean-Lesage, pour trouver de l'eau et remplir le radiateur. Ce faisant, et comme je marchais pieds nus, je ne vis pas du tout le fond d'une vieille bouteille de bière brisée, laissée là près du petit ruisseau où nous faisions la navette pour transporter l'eau vers l'auto. Une ligne de sang apparue dans la pelouse, elle était assez importante pour que ma sœur s'en rende compte assez rapidement. Plusieurs nerfs et ligaments avaient été sectionnés net et je marchais avec la base de la bouteille bien plantée dans mon pied droit, un éclat dépassait de l'autre côté de la cheville. J'ai perdu beaucoup de sang. Je n'ai jamais rien senti pourtant. Avez-vous remarqué qu'une petite coupure fait toujours bien plus mal qu'une plus importante? C'était mon cas. Ma famille dans l'automobile souffrait à ma place! J'ai eu droit à 18 points de suture. La baignade tomba à l'eau.

De retour en fin d'après-midi à la maison, nous avons trouvé ma mère qui nous attendait dehors. Elle était paniquée, et ses yeux écarquillés en disaient long sur son état de stress. Lorsqu'elle me vit sortir de l'auto avec mon bandage et mes béquilles, elle s'exclama: «Je le savais qu'il t'était arrivé quelque chose de grave, je l'ai senti!» On dit souvent qu'une mère et son fils sont reliés par des forces occultes. Vous avez sans doute vous aussi une petite anecdote du genre qui habite votre esprit.

Cette intuition d'une mère pour son enfant m'apparaît être la prémisse susceptible de conduire au développement plus important de la faculté de voyance. Le dénominateur commun de cet ensemble est *l'émotion* qui n'est pas étrangère à l'apparition de la faculté PSI.

Maintenant, sommes-nous tous voyants? Bien sûr que non! Au même titre que nous ne sommes pas tous golfeur professionnel, excellent coureur automobile, parachutiste ou simplement le meilleur au billard. Toutefois, si l'intérêt s'y trouve, la faculté pourra être développée.

Nous vivons à l'ère de la haute technologie. Le stress, la productivité nécessaire ainsi que la compétition sont des éléments qui n'aident en rien quelqu'un à se rendre compte qu'il se passe autre chose d'essentiel en lui. Trop souvent, malheureusement, ce sera à la suite d'un coup dur qu'un individu constatera l'émergence de pouvoirs insoupçonnés.

Pourtant, nous vivons tous entourés d'objets insolites, ésotériques, astronomiques et nous l'oublions. Prenons quelques exemples.

Le calendrier sur lequel vous inscrivez un rendez-vous à ne pas oublier représente le mouvement de la Terre autour du Soleil. Votre montre représente le mouvement de rotation de la Terre sur son axe. L'automobile que vous conduisez n'est autre que la représentation de votre corps: le moteur est votre cœur; la suspension: vos genoux; les pneus sont vos chaussures; le rétroviseur: votre passé; le pare-brise: votre avenir; l'essence: votre sang; le système d'échappement: votre propre tuyauterie intestinale; le volant: votre pouvoir de décider; les freins: votre pouvoir d'arrêter; l'accélérateur: votre pouvoir de foncer. Vous me suivez? Ainsi, observez bien un conducteur au volant de son engin, et vous découvrirez la partie cachée de sa personnalité. Certains conducteurs freinent sèchement, sans se soucier du confort de celui qui les accompagne; cette personne est portée à l'égoïsme. Même conclusion si elle conduit toujours à gauche, sur la voie rapide, et qu'elle contribue à ralentir la circulation et qu'elle persiste à ne pas changer de voie. Puis, il y a ceux qui se font toujours emboutir par l'arrière; ils ne bougent pas assez vite dans leur vie personnelle, ils sont incapables de se décider. Par contre, ceux qui emboutissent les autres (je parle toujours d'accidents à répétition) ne savent pas marquer un temps d'arrêt. Sur la droite, se retrouvent ceux qui ne pensent qu'au jour le jour sans se soucier de leur avenir ni de s'y préparer ni y réfléchir. À gauche, on trouve ceux qui ont des problèmes souvent non réglés avec leur passé. Ces deux derniers exemples illustrent le tempérament des imprévoyants.

Observez aussi les gens dans les sports d'équipe. J'ai joué longtemps au volleyball. J'ai ce don d'exceller dans plusieurs sports très différents. Il y en a qui l'ont, d'autres pas.

Vous constaterez que même dans le sport, le caractère d'un individu transpire, pas seulement son corps! Il y a les fonceurs, ceux qui se dépassent dans le sport le font dans leur boulot. Ceux-là sont généralement assez individualistes. Il y a ceux qui ont les pieds cloués au sol et qui attendent le ballon exactement à l'endroit où ils se trouvent. Ne vous associez jamais avec eux si vous êtes d'un tempérament fonceur. Vous allez très vite vouloir *tuer* cette personne. Elle vous tombera sur les nerfs. Ce sont les indécis, incapables de faire un choix.

Puis, il y a aussi ceux qui sont bien intentionnés, mais totalement maladroits. Si vous êtes patron, et eux, employés, vous courrez la chance de faire le travail à leur place.

Finalement, il y a les *brebis gueuleuses*. Elles passent leur temps à critiquer les décisions de l'arbitre. Dans le travail, ces gens critiquent tout le temps, mais font rarement mieux que ceux qu'ils critiquent.

J'adore jouer au billard. Ce jeu est merveilleux sous plusieurs aspects. Outre qu'il contient une part de *hasard*, il représente parfaitement l'exemple type de ce à quoi je veux vous inviter à réfléchir. Permettez-moi cette exploration très personnelle que j'ai appliquée au jeu du billard. Je dois également vous dire que tous ceux et celles avec qui j'ai eu jusqu'à maintenant le plaisir de partager mon engouement pour ce sport, n'y ont vu que du feu lorsque je leur ai dit qu'ils étaient les plus grands praticiens de l'ésotérisme aristotélicien lorsqu'ils s'adonnaient à cette discipline.

Voici pourquoi.

Nous trouvons dans le billard les trois formes géométriques de base: le cercle, le triangle et le carré. Pythagore, philosophe et mathématicien grec ayant vécu 600 ans avant le Christ, serait fier d'observer l'usage que nous faisons aujourd'hui de sa découverte du *carré de l'hypoténuse*! Le cercle est présent dans les boules du jeu, numérotées de 1 à 15; le triangle sert à placer les boules dans le haut de la table pour le bris; le carré est représenté par la table elle-même.

Il existe deux catégories de billard. Le billard américain qui se joue sur une table de plus petites dimensions par rapport au *snooker*, jeu de billard anglais (d'Angleterre).

Le jeu de billard de type américain est raciste! Pourquoi? Parce que l'on gagne en empochant la boule numéro 8 qui est de couleur noire. Et pourquoi la 8?

Parce que ce chiffre occupe le centre entre les boules numérotées de 1 à 7 et de 9 à 15. Ainsi, les *basses* comme on les nomme, c'est-à-dire les boules de 1 à 7, portent aussi les couleurs de l'arc-en-ciel; il y en a sept. Dieu mit sept jours pour créer le monde. C'est pour cette raison que le joueur doit empocher les sept boules, soit les *hautes* de 9 à 15, ou les *basses* de 1 à 7 *avant* de terminer la partie en éliminant la noire.

Les couleurs sont très importantes. La couleur centrale du spectre est le jaune et la boule centrale pour le bris est la boule numérotée 1, la jaune. Au jeu du huit, les boules 1 et 8 doivent occuper respectivement le devant du triangle et le centre. Les autres peuvent être placées aléatoirement.

Comme le suggérait Socrate, philosophe grec, «tout ce qui est en haut est comme ce qui est en bas». Il y a donc une correspondance des couleurs entre les *basses* et les *hautes* et ce n'est pas pour rien. Si la boule numéro 1 est jaune, quelle sera le numéro de la boule correspondante dans les *hautes* et pourquoi?

Ce sera la boule numéro 9 car 1 + 8 (la boule noire = racisme) donne 9, et ainsi de suite pour la numéro 2, qui est bleue, 2 + 8 (la boule noire = racisme) donne 10 et elle sera de la même couleur que la numéro 2, etc.

Une table comporte 6 blouses ou pochettes. Dans notre histoire biblique, le chiffre du diable, de la bête, est justement représenté par le nombre 6. Voilà pourquoi nous retrouvons la flèche d'extension, communément appelée le *Diable* au billard, toujours placée *sous* la table! Avez-vous remarqué que le *Diable* montre des pointes, illustrant ainsi les cornes du diable? C'est que le diable habite l'hadès, le sous-sol. Il est donc normal que le tapis sur lequel on joue soit vert, car il représente justement la planète Terre.

Le jeu de croquet présente aussi le même cas de figure. Il faut frapper une balle de bois avec un maillet afin de la faire passer à travers une série d'arceaux. Étant donné les grandes dimensions du jeu, il devenait difficile de le transporter par bateau en terre d'Amérique. Voilà pourquoi le billard américain présente des tables aux dimensions plus réduites. On a *soulevé* dans les airs le jeu de croquet, on l'a réduit, puis simplement installé sur quatre pattes!

Il semble toutefois que l'origine véritable du billard remonte au début du XVIIe siècle. C'est au Brésil qu'apparut le jeu du *panier* ou la *canasta*. À l'origine, il s'agissait de lancer un caillou, à bonne distance, dans un panier d'osier pour remporter une poule! La *canasta* est devenue aujourd'hui un jeu de cartes qui, généralement, exige la formation de deux équipes, donc de quatre joueurs, qui utilisent deux jeux, donc 104 cartes et les 2 jokers. Celui qui exerce le contrôle du jeu remporte toutes les cartes, au figuré la *poule* des Brésiliens. La première salle de billard apparut au Québec, à Montréal, le 21 avril 1688. Ce n'est donc pas d'hier que des Québécois exercent, à leur insu, un ésotérisme véritable!

Plus on exerce sa vue à décoder les informations cachées dans les petites choses du quotidien, plus grande sont nos chances de développer d'autres facultés dont nous ne pouvions pas soupçonner l'existence.

Pour moi, il est évident que des gens possèdent la faculté de *voir* les événements à venir ou passés. Claude

Gagnon suggérait que «quiconque prétend contrôler cette mancie ou n'importe quelle autre est un charlatan». J'étais plutôt d'accord avec sa vision des choses à l'époque. J'émets des doutes maintenant.

Il est vrai que la vision spontanée d'un événement, alors que l'on ne cherche pas à le provoquer, semble beaucoup plus plausible, et elle tend beaucoup plus vers le véritable. Toutefois, l'entraînement peut conduire à la maîtrise.

Einstein insistait pour dire à qui voulait l'entendre que sa découverte de la fameuse formule $E = mc^2$ n'était pas la conséquence de son intelligence supérieure aux autres. Il disait plutôt qu'il était arrivé à ce résultat après de très longues heures de concentration et avec beaucoup d'intuition. Est-ce à dire que notre *inertie* ou simplement notre incapacité à nous *concentrer*, sur une longue période, serait l'unique raison pour laquelle nous pensons que *voir* les augures demeure une action inaccessible aux humains de bonne volonté?

QUELQUES RESSOURCES SUGGÉRÉES

Je tiens à préciser ici que les noms qui apparaissent dans cette section s'y trouvent non pas parce que qu'ils sont les seuls qui vaillent le coup, ou encore que j'entérine leur capacité à percevoir les choses comme étant d'un degré absolu, mais parce que je les connais personnellement.

La plupart de ces praticiens de la voyance, sauf quelques exceptions, ont été présentés dans le cadre des émissions télévisées *FUSION* ou *ALTER EGO SPIRITUS* que j'ai animées à Cogéco—Drummondville entre les années 1981 et 1997.

Ayant donc eu le privilège de les observer à l'œuvre, j'ai préféré vous fournir leurs coordonnées plutôt que de vous aiguiller vers d'autres voyants que je n'ai pas vus moi-même travailler.

Attention! Ils peuvent se tromper ou ne pas être dans le bon état au moment de vous rencontrer, mais je peux au moins vous garantir leur honnêteté intellectuelle. En ce qui concerne le tarif qu'ils exigent, je n'ai évidemment aucun contrôle là-dessus et je ne touche pas un sou parce que j'ai décidé de les citer.

Mon souci est simplement de vous fournir des pistes additionnelles et utiles, je le souhaite plus que je ne l'espère, pour vous permettre de vérifier par vous-mêmes, la validité du contenu de cet ouvrage.

Évidemment, je vous encourage à m'écrire vos commentaires, en faisant parvenir votre correspondance à mon attention, à l'adresse de l'éditeur.

Ressources

(Par ordre alphabétique et non pas par ordre de qualité)

BENAZRA, Alain
2525, rue Cavendish, app. 834
MONTRÉAL (Qc) H4B 2Y6
Tél.: (514) 369-6823
Site Internet: **www.alainbenazra.cjb.net**

GRÉGORY, le Gitan
1632, Terrasse Garnier
MONTRÉAL (Qc) H2C 1M9
Tél.: (514) 384-5268

LELUS, Élie
1342, rue Sherbrooke Est
MONTRÉAL (Qc) H2L 1M2
Tél.: (514) 522-1033

LEROUX, Doris
880, chemin du golf
DRUMMONDVILLE (Qc) J2B 8A8
Tél.: (819) 477-6878

MARQUIS, Normande
1155, rue Des Tourterelles
SAINT-ÉLIE-D'ORFORD (Qc) JOB 2SO
Tél.: (819) 573-0094

MERCIER, Yvon
4750, boul. Hamel
Bureau 105, 2e étage
QUÉBEC (Qc) G1P 2J9
Tél.: (418) 871-3201
Site Internet: **www.incalia.com**

PINARD, Normand
Tél.: (514) 254-5919
Ou contactez Hélène BONIN
Tél.: (450) 668-4006
Site Internet: **www.pages.infini.net/pinard**

TANGUAY, Lucille
22, rue du Sommet, app. 03
HULL (Qc) J8Z 3M2
Tél.: (819) 772-9442

YAN DE VAN
1430, rue des Pionniers
SAINT-NICOLAS (Qc) G7A 4L6
Tél.: (418) 836-3800

Bibliographie

BEAUCHAMP, Graham, *Guide des voyants et astrologues du Québec*, éditions Quebecor, Montréal, Québec, Canada, 1987, 216 pages.

BENAZRA, Alain, *Au cœur de la voyance* (incluant une initiation au tarot), Louise Courteau éditrice, Saint-Zénon, Québec, Canada, 2000, 240 pages, illustré.

BOURBEAU, François, *Contact 158*, Louise Courteau éditrice, Verdun, Québec, Canada, 1984, 200 pages, illustré.

BOURBEAU, François, *Les médias cachent la réalité OVNI au public*, Les Éditions du Collège Invisible, Drummondville, Québec, Canada, 1996, 352 pages, illustré.

BOURBEAU, François, *Processus vers la lumière* (Rencontre avec Gaétan Dubé), les éditions du Collège Invisible, Drummondville, Québec, Canada, 1997, 100 pages.

GLEICK, James, *La théorie du chaos* (vers une nouvelle science), éditions Albin Michel, Paris, France, 1989, 425 pages, illustré.

JÜNG, Carl Gustav, *L'âme et le soi* (Renaissance et individuation), éditions Albin Michel, Paris, France, 1990, 289 pages.

LALANDE, André, *Le vocabulaire technique et critique*, éditions Presses universitaires de France, 14e édition, Paris, France, 1983, 1324 pages.

MONOD, Jacques, *Le hasard et la nécessité* (Essai sur la philosophie naturelle de la biologie moderne), éditions du Seuil, Paris, France, 1970, 250 pages, illustré.

MOORE, Thomas, *L'utopie*, éditions sociales Essentiel, Paris, France, 1966-1982, 227 pages.

SCHRÖDINGER, Philippe, *Ma conception du monde* (Le Veda d'un physicien), éditions Le Mail (Mercure de France), Paris, France, 1982, 167 pages.